知識ゼロからはじめる

現代アート投資の教科書

Start from scratch :
Studying how to make
a valuable art collection

徳光健治

Kenji Tokumitsu

イースト・プレス

はじめに

２０２０年の日本のアート市場はコロナ禍によって未曽有の危機に見舞われることとなりました。緊急事態宣言の発令でギャラリーは休業を余儀なくされ、急遽オンライン販売をスタートさせる業者が増えました。売り上げが月額で前年比50％割れがあたり前となりましたが、持続化給付金を得ることで固定費が少ないギャラリーはなんとか生き延びることができています。緊急事態宣言後にギャラリー運営がもとに戻っても、60代のシニア層の来客が減ったことで売り上げが戻っていないようです。

そんな中、朗報なのは20〜30代の若者がアートに興味を持ってギャラリーに来るようになっていることです。年齢が若いため高額作品の購入には至っていませんが、それでもアートを買うということが少しずつではありますが定着しつつあります。とはいいながら、まだ日本のアート市場の状況は依然厳しく、マーケット全体として前年の売り上げの二桁減は免れないでしょう。

オンライン販売の国内市場は広がっているものの、付け焼き刃ではじめた販売業者は、昨年夏以降すでに見向きもされなくなっており、コンテンツの拡充と恒常的な新規顧客の開拓が求められています。

世界最大のアートフェアを運営するアート・バーゼルのレポートでは、欧米の巨大ギャラリーは平均で36％の収入減により従業員のリストラが進んだようです。反対に、オンラインによる販売はギャラリー売り上げの26～35％まで上がっており、今後も欧米ではオンラインと並走したギャラリー運営がマストとなっていくと予想されます。このように欧米は日本と比べるとコロナウイルスの感染者・死亡者数が非常に多い状況下で、かなり厳しい戦いとなったようです。

一方、日本国内ではセカンダリー市場（主にオークション）が好調へと転じました。コロナ禍で行き場を失ったお金の使い道として「資産分散」によるリスク回避の考え方が広がったのです。商業不動産やスタートアップへの投資が避けられ、上場株式、仮想通貨への投資が増えるとともに、お金はアートにも向かうことになりました。しかし、新規のアート投資家は、どんなアートをどのように買えばよいのかわからないため、投資家仲間からの口コミの情報を得て、セカンダリー市場へと流れついたと考えられます。

ＺＯＺＯファウンダーの前澤友作氏がオークションでジャン＝ミシェル・バスキアの作品を購入したというイメージから、オークションでアートを買えば、大きく価値が下がるような失敗はないだろうという考えが根づいたのかもしれません。

活況のオークション市場ですが、アートを買う年齢層が下がっていることも影響して、日本のガラパゴス化した市場でしか通用しないような作品も評価が上がっているのが特徴です。80年代の漫画やイラストをオマージュした作品が、30代の投資家から人気を得ています。

いずれにしても、現在の日本のアート市場は30〜40代の若年層が中心となりセカンダリー市場で新しい盛り上がりを見せているのは事実です。これは、ここ数年の中国、台湾、香港といったアジアのアート市場の後追いのような形で展開しているようにも思われます。購入者が育ちはじめ、情報が少ない中で一部のオークション銘柄に人気が集中している図式がそっくりなのです。

近年のアジアでは、セカンダリー（オークション）市場（P80）が全体を牽引して、プライマリー市場（P80）に少しずつ浸透する形をとりながら、ギャラリーで購入するコレクターが増えていきました。オークションに出品される著名なアーティストの作品をいざ売買しようとすれば、思ったよりも手数料がかさみ利益を得るまでに時間がかかることをコレクターも学びはじめます。実は競争が少ない作家は、ギャラリーのようなプライマリー市場で買うほうが、オークションで買うより割安だという情報が、まだ浸透していないのでしょう。また、どのギャラリーで買えばよいか、どのようなアーティストが将来有望かという情報が少ない中では、プライマリー市場は盛り上がらないのです。

コロナ禍でも着実な経済成長を達成した中国では、アメリカを追ってさらにアートマーケットが広がっていくことは間違いないでしょう。日本のアートマーケットが中国を中心としたアジアのマーケットに大きく後れをとっている現状から、少しでも追いつくには、ギャラリーと顧客の間で情報の開示と共有が欠かせません。

2020年のアートマーケットは危険な状況だったかもしれませんが、これをチャンスにして売り上げを増やしたギャラリーもあります。アーティストも同じで、ギャラリーに頼り切りでコロナ禍での対応が遅くなった作家を何人も見てきましたし、自ら機会をつくりだした作家も少なくありません。

総じていえるのは、危機を脱した方々はコロナ禍になる前から世の中の流れを見て、柔軟に対応できる体制をとっていたのです。

コロナ禍が終わると我々の前に新しい時代がやってきます。それは「心の時代」です。マインドフルネスという言葉があるように、今この瞬間を生きることがより大切となってきているのです。

これから日本で作られる新しい市場は、すでに欧米との比較において大きな差異が生じている「自分らしい生き方」の中にあります。新しい時代には、改めて自分らしく生きることにこだわりを持つことが求められているのです。

アートは人間がより人間らしさを取り戻す手段です。だからこそこれからはアート作品を創る人も増え、それにつれてマーケットも拡大していきます。新しい市場ができつつある中で、指をくわえて待っているなんてできません。本書を通じて拡大するアートマーケットに対して何をすべきかを知ることができれば、ビジネスとしても大きなチャンスをつかむことができるでしょう。また、アート投資の持つ意味合いを理解していただくとともに、どのようなアートを買うべきかについても興味を深めていただく手助けになれば幸いです。

徳光健治

知識ゼロからはじめる

現代アート投資の教科書

目次

2時限目 アート流通の基本構造を理解する

3時限目 世界と日本のアートマーケットを理解する

4時限目 ネットを駆使してアートを買う

5 時限目

アートの未来を想像する

1時限目

アート鑑賞を投資に変える

アート鑑賞を投資に変えるには

資産価値のあるコレクションを作る

アートを知ることで身につく教養は、大きく分けると以下の2つのことに役に立つといえます。1つは、**アーティストの頭の中の世界を感じとれるようになること**であり、もう1つは、**良い作品のコレクションづくりに役立つ**ということです。

まずはアーティストとはどのような人たちであり、そのような人たちの頭の中にある世界を知ることの意味について考えてみましょう。

アーティストはセンスが良いからアート活動をしているわけではありません。感性が鋭いアーティストは、一般の人よりも若干多いかもしれませんが、必ずしもそうであるとはいえないのです。**アーティストが他の人と違うのは感性の鋭さではなく、絶えることない創作意欲**です。創り続けようとする意志においては、アーティストと一般人とでは比較になりません。**アーティストとは「常に何かを創らざるを得ない人」**なのです。何がそこまで創作に向かわせるのかが不思議なほどに、常に次の作品の構想を考える人こそがアーティストなのです。

アーティストにとって創ることとは、作業的なものとはほど遠く、自らに課せられた運命のように創作にとりつかれています。その中で感性が高いアーティストもいれば、意外なことにそうでもないアーティストもいるのです。アーティストの中には、おそろしくファッションセンスが悪い人もいるし、自分の持ち物や服装に全く興味を持たない人も多くいます。

そのようなアーティストの創造性に触れることは、人間の根源的な創作意欲を感じることになります。感受性の強い幼少期の頃は、世の中の何もかもが新しく見え、創造性に富んでいますが、社会に溶け込んでいくうちに人間関係や様々なしがらみを経験し、沸き起こっていたものづくりへの欲求も、知らず知らずのうちに薄れてしまいます。

その感覚を再び呼び起こしてくれるのがアートであり、人間は実利や有用性だけで動くものではないことを気づかせてくれる存在なのです。アート作品を鑑賞して作家の意図を想像し、その世界観を感じとると、アーティストの心の中に、ビジネスや社会を超えた創作の目的というものが垣間見えることがあります。

アーティストが心の赴くままに作ったものを見て感動する体験が俗世界で生きる人間の頭を浄化し、新たな活力を与えてくれるのです。

さて、もう一方に掲げた、「良い作品のコレクションづくりに役立つ」という点も見ていきましょう。これは**資産価値のある良いコレクションを作ることができる**ともいいかえられます。

質の高いアート作品を買うには、多くのアートに触れることが必要です。美術館や一流のアートフェアで展示される本物の作品を数多く見ることで、資産的に価値の高いアートを直感的に理解できるようになるでしょう。また、美術史の文脈やアーティストのコンセプトを知ることで、その作家が今後活躍できる可能性をチェックすることもできます。

欧米の知識人はパーティーの席上でうんちくを語るためではなく、将来的に資産価値が上がる作品を見極めるために教養を仕込んでいるのです。アートは観た時にその場で買わなければ、すぐに他で売れてしまう商品特性であるだけに、多くのアート作品を観ている人は、自分なりの判断基準を持っているのです。コレクションというと、よほどのお金持ちでないと持つことができないと思うかもしれませんが、限られた予算の中でもじっくり良い作品を集めていけば、良いコレクションを持つことは決して夢ではないのです。

一般人のコレクションが大きな資産に

2017年、ZOZOファウンダーの前澤友作氏が、123億円でジャン＝ミシェル・バスキアの作品を落札したことが話題になりました。こうしたアート関連のニュースを聞いていると、アートの購入はお金持ちだけが考えることのような気がしてしまいますが、そんなことはありません。

2008年に公開されて人気となった『ハーブ&ドロシー アートの森の小さな巨人(原題：Herb and Dorothy)』は、ニューヨークに暮らす郵便局員のハーブと図書館司書のドロシー夫妻を描いた物語です。自分たちの給料で買え、1LDKのアパートに収まることを基準にして二人が集め続けたアートの数は4000点以上。夫妻は最終的に、アメリカの国立美術館「ナショナル・ギャラリー」に

2000点以上の作品を寄贈します。チャーミングな二人のアートへの愛が、人々の心を動かした出来事です。

2013年4月5日、奈良美智の個人所蔵コレクションが、オークションハウス大手サザビーズの香港でのセールに出品されました。合計で1800万香港ドルを超える落札額が見込まれていたのですが、その予想を大幅に上回る4100万香港ドル（約5億1496万円）で落札されました。

出品された奈良美智のコレクションは、コレクターが所蔵していた計35点。現在は海外に居住しているそのコレクターは、以前から奈良美智の画風に魅了され、1988年から2006年まで20年近くかけて、アクリル画やドローイング、版画などの作品をまだ安いうちからコツコツ買い集めてきたといいます。初期のドローイングは数万円、ペインティングでも数十万円で買えたと予想されますが、現在では当時の価格の100倍くらいになっているものもあるようです。

そのコレクターは、奈良美智が世界的な名声を得るよりずっと以前からサポーターとして支援しており、作品収集を通じて、作家の足跡を辿る旅をしたり、作家自身と交流を持ったりすることで、アートコレクションを自身の人生の中でも重要な一部であると考えるようになったと語っています。このオークションの結果は、これから自身が惹かれるアートを集めようと考えているコレクターの方々にとって、非常に刺激的な出来事であるといえるのではないでしょうか。

アートを集めることは、決して手が出せないような贅沢ではなく、買える範囲のお金で人生を楽しめる身近な趣味でもあるのです。

アートに正しいも間違いもないように、どんなアートを、どこで購入しようと買う人の自由です。街角や旅先で突如出くわした作品に運命的な出会いを感じ、その場で即決購入したことがある人もいるでしょう。「この作品が欲しい！」という突発的な強い衝動こそ、アートを所有する一番の理由です。

しかし、良い作品を持ち、そして良いコレクションをするには、一度立ち止まって冷静に考えることも必要です。「その作品は本当に自分が好きな作品なのか」「価格に見合った価値があるのか」「売り主は信頼できるのか」などを見極めなければなりません。

アートは決して安い買い物ではありません。だからこそ、せっかくなら色々な意味で満足できる買い物をしたいものです。そのためには、もっとアートを学ばなければなりません。そういうと大変な作業に感じられるかもしれませんが、ある程度の知識としかるべきプロセスを踏めば、自分が望む作品を見つけ出し、自分らしいコレクションを構築していくことは誰にでもできます。

では次に、資産としてのアートを考えてみましょう。

アートはストック型のエンターテインメント

音楽、演劇、映画などの文化がフロー型（目の前を流れていくもの）であるのに対し、アート作品はストック型（資産として蓄積されるもの）であることが大きな違いとして挙げられます。文化を人生経験や瞬間の楽しみとするのは消費する「フロー型」の考え方であり、文化を収集し価値を高めていくのは、文化を貯蓄する「ストック型」の考え方です。特に不況の時代にこそ、フローよりも着実にストックしていく文化が好まれるでしょう。

アートと一般の商品との最も大きな違いは、**アートがそもそも残すことを目的として創られていること**です。一般の商品のように、その時々の利便性や有用性のために創られているものではないため、アートには消費するという観点がありません。消費せずに残すことが目的なので、作家も自分が亡くなった後に、世の中に残されていくことを念頭においてものづくりをしなければならないということなのです。世の中に残るからこそ、没後に評価が高まることもありえます。

したがって、本来アートは流行というものとはあまり関係ないはずです。その時代に生きて、現代社会の情勢や問題を作品の中で表現するということはありますが、それは単なる流行といったものとは違います。今という時代を、アートを通じて映していく行為なのです。その他にもアートの本質として、あくまでアートはエンターテインメントであるということがありますが、このことを私たちは忘れがちです。アートが音楽や舞台、映画といったエンターテインメントと違うのは、**アートは最低限の知識が必要なエンターテインメント**であるということです。

何の知識もなくただアートを観て感じることも可能ですが、きちんと鑑賞する場合には作品に関する情報や知識があったほうがより楽しめますし、購入する場合にもコレクションとしての最低限の知識が必要とされます。そういった知識はどちらかというと座学で学ぶというよりも、アートの場合は観ることによって養われることが多いのです。なるべくレベルの高いアートに数多く触れることがよいことなのはいうまでもありません。そうすることによって、鑑賞した様々なアートの中で、きらりと光る特異性やインパクトに気づくはずです。

また、作品の裏側にある作家の意図については、全部理解する必要もなければ、知る必要もありません。観るほうの主観が重要であり、理解がむずかしい作品は世の中で高く評価されることは極めて稀だからです。3分で説明して理解できるアート作品でなければ、後世に残されることもないでしょう。このようにアートは、座学で勉強をするものではなく、レベルの高い作品を多数観ることで知識を得て楽しむエンターテインメントなのです。

さて、アートをビジネスにする場合においても、アートの本質を理解する必要があります。周囲の環境が変化する中でビジネスモデルの流行はあるかもしれませんが、流行に惑わされずに長期的な視点で考えたほうがよいでしょう。

アートの本質というものが「作品を残すことが目的」「エンターテインメントである」という2つの観点から考えると、作品の短期売買で利益を得るというビジネスは難しくなります。若い作家の成長を支え、初期のコスト負担に耐えながらも長期的なビジョンで利益を得るという考え方でないと、うまくいかないことのほうが多いでしょう。だからこそ、ギャラリーなどのビジネスやアート投資が成立するのです。

また、エンターテインメントであるアートは、見せ方、楽しみ方、コミュニケーションという部分も重視されます。展示する場所の選び方、展示方法、ギャラリストや作家とのコミュニケーション、それをオンラインで見せたり、チャットできたりするような配慮もエンターテインメントでは必要とされます。

実際に海外の大手オークションの入札に参加してみると、そこではオークショニアといわれるオークションを仕切る進行役と入札者との間で繰り広げられるショーが展開されています。購入する入札者も、オークショニアが演出する雰囲気に酔いながら楽しんで作品を購入しているのです。

アートにはラグジュアリーな雰囲気や見栄え良く見せることも、マーケティング戦略上、ある程度は必要ですが、それにプラスして楽しんでもらうというエンターテインメントを考えないといけません。このようにアートの本質を理解して長期的な視点でビジネスをしないと、舵とりを誤ってしまう可能性があるのです。長い人生をかけてアーティストが成長していくのと同様に、アートビジネスもアーティストや顧客とビジョンを共有し、一生をかけて作っていくものであるといえるでしょう。

エンタメと資産の両方が一度に得られる

アートが消費を目的に創られていないということは、アート作品を買うことが資産的価値を持つことを意味します。同時に、買った作品の価値が上がることも期待でき、我々の生活を豊かにしてくれます。このようにアートは、エンターテインメントと資産の両方をもたらしてくれるのです。いわば、アート投資とは知的ゲームのようであり、そこがアートの非常におもしろいところなのです。

また、金融資産と比較しても、アートの性質は一味違います。資産としての上がり幅が大きく、株券のように紙くずになるリスクもなく、売買をせずに部屋に飾って楽しむこともできるからです。

では、どのように資産価値の高いアートを見つければよいのでしょうか。

アートを買うには、個人的な感情を抜きにして作品の良し悪しを判断することが要求されますし、アートのこれまでの歴史、作品の文脈、トレンドを理解しなければなりません。多くの作品を観ていないと判断は難しく、美術業界に長く携わっている専門家でもなければ、作品を正しく評価することは厳しいといえます。

しかし、アートの初心者でも作品について精度の高い判断ができる可能性が一つだけあります。それは、アーティストのキャラクターに注目するということです。ビジネスに投資する際に、ビジネスモデルだけではなく経営者にも注目するのと同じように、アーティストの性格やビジョンを知ることも重要なのです。

私もギャラリストとして、アートを楽しんでもらうことはもちろんのこと、そのアーティストの価値を高めることにつながるお手伝いをしたいと考えています。顧客が投資家視点で少額から作品購入をスタートし、色々なことを試しながら自分の好きなアートに出会い、アーティストとも交流し、最終的に利益を得ることが未来の文化を担っていく若いアーティストたちにとってもプラスになると私は信じているのです。

アートをコレクションすることには、次のようなメリットがあります。

■部屋に飾ることで精神的な豊かさと安心感をもたらす
■資産としての価値が上がることで収益をもたらす
■アーティストを買い支えるパトロンになれる
■アーティストやコレクター仲間など、アートを通じた交流と出会いがある
■美術館への作品寄贈や貸し出しを通じて文化の醸成に役立つ

アートコレクションにはこのようなメリットが多くある一方で、デメリットがあまり見当たりません。

もしもあなたがアート好きであれば、鑑賞だけでなく投資のことも考えてみて欲しいと思っています。なぜなら、アートを観ること（時間への投資）がアーティストから文化的価値を得ること（アート投資）に確実につながるからです。アート投資とは、将来性のあるアーティストを見抜き、その作品を購入して社会の文化醸成

に貢献し、自分の感性と教養を磨きながら利益を最大化するサイクルなのです。

アート投資をはじめるには、作品が難解で理解しにくいものもあり、初心者にはとっつきにくいと感じるかもしれません。しかし、まずは自分の感性に従って素直に好きな作品を選べば良いだけです。そのうえで本書を読み、投資に活きるアートの知識を役立ててください。

投資としてのアートの考え方

投資価値としてのアートの可能性

まず、安全性、収益性、流動性の面から、アートの特徴を他の金融商品と見比べてみましょう。

■安全性

アート作品の元本割れは、債券などと同じように値崩れによって購入時より安くなることがあります。しかし、株式のように倒産によって実質的な価値がゼロになることはありません。

■収益性

株式などよりも圧倒的に高いリターンをもたらすことがあります。しかし、あくまで長期投資での話であり、短期で売買すると手数料が高いため元本割れすることがあります。

■流動性

アート作品は長期保有前提であること、必ずしも市場ですぐに売却できる保証がないことから、換金されることが少なく流動性は低くなります。

このように安全性、収益性、流動性で比較すると、アートにおけるメリットは金融商品より少ないように思えます。しかしながら、長期的に保有するのであれば、アートはリスクが低くリターンが大きいので、不景気の時期に、金融商品の価値が下がる傾向にある時には、アートは投資先として優れているのです。そのためには確かな情報が必要であり、それに基づいて適切な作品を選択しなければ、金融商品より運用の利回りが下回ることも十分にあるといえます。

アート投資と投機は違う

株式投資の極意とは、投資家がお金を出し、投資家の代わりに経営者に働いてもらって利益を享受するという資本主義の基本理念を理解することにあります。自分が働くのではなく、投資する会社に対し部分的なオーナーシップを持ち、投資先の人に働いてもらうことでそこから得られた収益の一部を分配してもらうのです。

この場合の投資家は、日々の株価をチェックして売買するデイトレーダーのような投機的視点ではなく、長期的に見て利益を出せる企業を見極める、投資的視点が重要となります。この長期投資の考え方はアート投資にもあてはまります。

株式などの金融商品と比べると、アート投資には独特の良い面と悪い面がありま す。まず株式とは違って、それだけで鑑賞するエンターテインメントとしての価値 があるのがアートです。しかしアートは、金融商品と比べると情報が少ないという 特徴があります。定量的なデータはオークション落札価格ぐらいですし、定性的な データも展覧会履歴くらいでほとんどありません。さらに、アートの良さは感性で 決められることが多く、ロジックで決めるものではないのです。そういう意味では 確実性がないのがアートといえます。

アート投資の基本は長期投資であり、短期でのリターンを求めるなら、他の金融 商品へ投資をしたほうが良いでしょう。また作品という「モノ」だけではなく、 **アーティストという「人」へ投資するおもしろみがある**のが、アート投資の特徴で す。もちろん株式投資も経営者のキャラクターは重要ですが、それはあくまでビジ ネスモデルやブランディングを含めたうえでのキャラクターの一部であり、アー ティストの場合は人そのものの価値と作品の価値がイコールとなる場合が多いので

［図1］投機と投資の違い

	投機としてのアート	投資としてのアート
注目する対象	作品	アーティスト（成長性）
注目するポイント	価格の上昇	価値の増大
購入の特徴	自分の興味より、値上がりしそうな作品を集める	自分の好みを大事にしながら、真に価値のある作品を集める 購入によって文化を支える
文化への影響	なし	あり
時間との関係	短期視点	長期視点
購入の判断材料	作家のネームバリュー オークションの落札価格	トレンド全体を俯瞰したマーケット感覚

す。

アーティストが成長しながら、どれだけ多くの人の共感を得る作品を創ることができるかを考えるのがアート投資の真骨頂であり、それとは逆に「この作品がどのくらい値上がりするのか」と値踏みするのが投機的なアートの買い方です。

前者は、アーティストの継続的な成功を考えて購入する作品を選択するのに対し、後者は単にその作品が値上がりするかを様々な情報から類推して判断します。つまり、すでにある程度成功しているアーティストの作品を保有することは、投資家個人のステータスのためや安定的な資産作りにはなりますが、作家個人を応援し、成功を期待する意味合いは薄いので投機的な購入に近いといえるでしょう［図1］。

アート投資は資産ポートフォリオの一つ

世界がボーダーレスになる中で、日本が技巧的な伝統文化だけに固着していると、世界中のコレクターからは単なる異国文化の工芸品のように見られてしまう可能性があります。いまや表現方法は千差万別であり、世界中にいるコレクターはそれを国ごとの文化に区別して考えているわけではありません。コレクターは金融や不動産などの中にアートも加え、資産のポートフォリオを組みながら、リスクマネジメントをして投資をしているのです。

そういうコレクターがいる中で、アートを楽しみながら着実で安定的な投資をするというのは、金融商品や不動産と比べると難しいことです。本格的に安定した投資をしたければ、アンディ・ウォーホルなどの高額作品を買い集めることになるでしょう。若手アーティストと比較すると上昇率は低いですが、着実で安定していま す。

しかしながら、そのような高額作品を買い続けられるコレクターは少なく、アメリカのロックフェラー家は「無名と多量」という考え方で購入を実践しています。そのやり方はスタートアップ企業に対する投資に近いものがあり、少し違うのはアートの場合、スタートアップ企業のように**短期間での急成長を目指す必要がない**というところです。

投資会社は、スタートアップと比べて着実に安定成長するスモールビジネスには、投資的な価値を求めていません。投資会社のスタイルはハイリスク・ハイリターン狙いなので、50社に出資して49社が失敗したとしても、1社が100倍の価値に成功してくれればよいというわけです。

アートはスタートアップへの投資とは違い、リターンが望めるアーティストに育つまでに時間がかかります。しかし、長期的な運用を考えているアートコレクターにとっては、成長が期待でき、まだ価格が上がっていない作品が魅力的に映る可能性があるのです。

資産としてのアート購入のために重要なのは情報

アートは部屋に飾るためだけに買うものではありません。部屋を彩りのよいものにしたいというのも、購入の目的の一つとして悪くありませんが、現代アートの場合には、部屋の装飾だけを目的とするのは少しもったいない気がします。アート作品を購入する人は、作品のコンセプトが気に入って買う人、作家支援のために買う人、資産的な価値を生む作品を買いたい人が増えています。

資産的な価値があるアート作品については、その作品を売った後に得られた資金で今後成長しそうな作家の作品を買いたいと思っている人も増えているようです。一方で、個人の好みとは関係なく「情報」でアートを買う人もいます。ギャラリーの完売作家情報やオークションでの値上がり情報を把握して、資産拡大の手段としてアートを買う人です。

このように、アートは装飾品、嗜好品、エンターテインメント、資産といった様々な側面を持っています。購入者はそれぞれの目的に沿った形で購入すればよいのです。購入した作品を永遠に売ることがなければ、資産としてのアートを気にする必要はありません。自分の感性に合う気に入った作品を買えばよいのです。

一方で、**資産として買う場合に必要なのは「情報」**です。ギャラリーでの売れ行き情報やオークションハウスでの値上がりといった生の情報をもとに作品を買う30代の若手経営者の方が、最近の日本では増えています。そういったコレクターは、例えば五木田智央や名和晃平のような、ポスト村上隆・奈良美智を担うアーティストの作品がセカンダリー市場でも活況という情報が流れれば、すぐに購入に走ります。

最近では福岡出身のイラストレーターのKYNEや、ZOZOファウンダーの前澤氏がコレクションをしている井田幸昌などのアーティストの作品価格が国内のオークションで急騰しているので、同じアーティストの作品を買おうとする人が増えるでしょう。

このようなブルーチップ（アメリカの株式市場における企業の優良株のこと）の一歩手前ようなアーティストは、ある程度資金に余裕があれば買うこともでき、資産価値が上がる可能性が高いといえます。

ギャラリーの展覧会や海外のアートフェアへ積極的に足を運び、ギャラリーのオーナーと顔馴染みになることで情報を得て、優先的に作品を購入できるチャンスを得ているコレクターもいます。

作品価格の上がり時というのを判断して早めに購入している彼らですが、そのような情報をもとにした購入者が最近の日本のアートマーケットの一部を形成しているのは事実です。しかし、情報を追いかけるコレクターは増えているものの、全体に数はさほど多くないのが日本の現状です。

将来性のある作品を見極めるための原則

良いアートを購入するのに最も重要なことは、一次情報を得ることです。ここでは、自分の目で作品を観て感じる情報のことを一次情報といい、それに対し、ネットのニュースや誰かが作品を観てＳＮＳに投稿した記事などは二次情報です。二次情報はいくら集めても、他の人が見た情報を加工したものに過ぎず、事実が曲解される可能性があります。

やはり事実は自分の目で確かめるのが一番です。特にアートの場合はそれが顕著で、観た作品に対してどう感じるかは人によって大きく違います。

二次情報をそのまま鵜呑みにするとどうなってしまうかを考えてみましょう。例えば、オークションの落札価格といった誰もが手に入る情報をもとに価格が上昇している作品ばかり買っていると、同じような作品情報をもとに買う人たちが集まってバブル人気が起きてしまうことがあります。その結末として、一部の人気に支えられたバブルは、いつか暴落してしまうことになるでしょう。

まずは、美術館やギャラリー、アートフェア、アート関連の本やウェブサイトなど自分が得られるあらゆる手段で、できる限り多くの作品を観てください。西洋美術、日本美術、現代アート、絵画、彫刻、大きい作品、小さい作品、分野は限定せず、様々な種類のアートを観ることをおすすめします。

レストランやショッピングモール、ホテルやオフィス、日々の生活の中に存在するアートに意識を向けてみましょう。壁やディスプレイスペースにどんなものが飾られているでしょうか。もちろん、それらはただの装飾品であってアートではないかもしれません。しかし、あなたの目を養うには格好の教材となりえます。この段階で注意しなければならないことは、決してその作品を理解しようとしたり、作者を明らかにしようとしたり、他人に意見を求めたりしないことです。

まずは作品に向き合い、好きか嫌いか、幸せな気持ちか憂鬱な気分か、ある出来事を想起させるか、はたまた空想の世界へ誘われるかを感じてみてください。その作品に対するあなたの心の動きにだけじっくり耳を傾けてください。たとえ嫌いな作品に出会ったとしても目を背けず向き合うことです。なぜなら、嫌いな作品を知ることは、好きな作品を知る大事な手がかりでもあるからです。

人にはそれぞれ好みがあり、アートに関しても自分はこういう作品が好きで、こういう作品が欲しいとすでに心に決めている人もいるでしょう。しかし、あなたが思う好みのアートとは、あなたが今まで実際に観てきたもの、得てきた知識の範囲で形づくられたものに過ぎません。作者が有名である、高額な値がつけられている、評論家が高く評価しているなど、他人の意見が強く影響している可能性があるのです。果たしてそれが、本当に自分の好みといえるでしょうか。

実際にアートを買おうとすると、世の中には想像以上にたくさんの種類のアートが存在していることに気づかされます。もしかしたら、あなたが好むアートはもっと他にあるのかもしれません。以前に観たことがある作品であっても、常にはじめて接するかのように観てください。あなたの感じ方は以前とは変わっているかもしれないのです。

今まで抱いていた好みは一度頭の中の引き出しにしまって、まっさらな気持ちで自分の好みのアートを探す旅に出かけましょう。

アート投資をしたいけれど作品を観る時間がない人の中には、わざわざプロに作品を観てもらって、そのアドバイスに従って買う人もいるほどアートを観る経験値は重要なのです。特に観る作品の質と量が重要で、これに時間を費やさずに、聞いた情報だけで作品を買うと「投資」ではなくて「投機」となってしまう恐れがあるので注意が必要です。アート投資は楽して儲かるものではないですが、目で見て自らの頭で考えて投資することによって、必ずよい未来が開けるでしょう。

次に、実際の自分の目で見る一次情報を、どのようにコレクションとして役立てるのかについても考えてみましょう。アートは他人やメディアの意見よりも、**まず自分がおもしろいと思えるかどうかが重要**です。「自分の意見が正解だ」くらいに思うことが大切であり、自分の感性に素直に従えば良いのです。例えば、メディアや自分の周りは評価しているけれど自分としてはおもしろくない、という感性が大事なのです。

その理由は、創り手の立場から考えてみるとわかります。アートにおいて空前の傑作を作ることに、マーケティングというものは全く役に立ちません。アーティストが事前にどのような作品が売れるかといった調査をすればするほど、多くの人が望むものを作ろうとしてしまうので、そこに予定調和が生まれます。アーティストが顧客を気にして予定調和をしてしまうと、おもしろくないアートを作ってしまうことになります。売れやすい作品を意識して作ることとは対称的に、**アートは常にこれまでに見たことのない発明品に価値がある**のです。現代アートの作品を見極めるために最低限知っておくべき原則があります。それは、**評価の上がる作品は「発**

明品」と「インパクトの大きさ」で決まるということです。

　さて、他人の評価を気にせず、自分がおもしろいと思う作品に出会うことが最も良いのですが、それにも条件があります。好きな作品だからといってやみくもに買っていても、その作品の価値が将来的に上がるかどうかは別問題です。ある程度の作品数を実際に自分の目で観る経験が必要になります。その経験を積むことによって、展覧会レビューで書かれていることと、自分の考えとの違いを認識できるようになります。つまり、二次情報との違いを感じることができるようになるのです。そうなってくると、ネットで見た写真や映像での質感が、自分で見た一次情報に近づいていくようにもなります。

　このように自分の物差しが明確にできれば、二次情報でも一次情報を得るかのように、情報を取捨選択できるようになります。それができるまでは、とにかく本物の良作をたくさん観ることをおすすめします。

　まずは自分の目を信じて本物の作品を観ることが一番ですが、インターネットなどで作品の画像を先に見てから本物と見比べて答え合わせをするというのも一つのやり方です。効率的に経験を積むためには、事前にウェブサイトでアート情報をシャワーのように浴びてから、アートフェアなどで実物の検分をしてみるとよいでしょう。そうしているうちに自分の中に物差しができて、**他人の評価を気にせずに好きなアートを選ぶことができるようになる**はずです。

自分が好きで買った作品であれば、価格が上がらなくても楽しめるはずです。長期的な視点でアートを買うには、まず自分の目を信じて購入することが一番なのです。

アートの基本的な鑑賞ポイント

アートを観るとは、作品をただ眺めることではありません。鑑賞するためには、それぞれの作品とじっくり向き合う必要があります。では、作品のどんな部分に着目すればよいのでしょうか。まず、作品を至近距離で観た後、ゆっくり後退しながら全体を眺めてみましょう。

作品の印象はどう変化するでしょうか。どんな色が使われているか。表現されている対象は何であるか。素材は何を使用しているか。サイズ、額縁といった物質的側面にも着目してみましょう。さらに、筆の動きや一本の線といった作品の細部にまで目をやってください。それぞれの要素が作品にどんな効果をもたらしているでしょうか。じっくり観察しながら観ることです。

こうして色々な作品を観ていく中で、もしあなたが本当に好きだと思える作品に出会ったら、どこで観た作品なのか、どんな作品なのか、何が気に入ったのかだけを書き留めておきましょう。この作業を通じて、あなたはあらゆるアートを理解し、その中で自分の好みというものが次第に明らかになっていきます。そうしたら、次のステップに進む時です。実際に作品を買うためには、あなたの好きなアートの特徴を具体的な言葉にする必要があります。

そのために、書き留めておいたお気に入りの作品について、次の項目を調べてみましょう。

■主題…風景画、静物画、人物画、抽象画など
■作者名
■技法…油彩、水彩、版画、木彫、ブロンズなど
■制作年代…戦前、前後、現代など
■制作地…アメリカ、ヨーロッパ、日本、南米など
■スタイル…抽象画、具象画、ポップアート、シュルレアリスムなど
■価格
■その他…サイズ、形、色、見た目の特徴など

色々なタイプの作品を観ることで、自分の作品を受け入れる許容量を増やすのは大事なことです。まずは多種多様なアート作品があることを知り、その中で自身が

好きなアートを反芻するように検証するのです。逆に持っている情報量が少ないと作品選びの間違いを誘発することになります。たまたま入ったギャラリーで展示されていた作品に一目ぼれしたという話をたまに聞きますが、実際にコレクションが進んでいくと、その後に好みの方向性が変わる人のほうが圧倒的に多いのです。

　人間はそれまで観てきた様々な視覚情報を経験として持っていますが、これまで観たことのないアートをはじめて観る場合に、それを異質と感じて最初から自分の好みから排除する人と、逆に強い興味を持つ人がいます。この場合、**異質なものに強い興味を持つ人のほうが良いコレクションをする可能性が高い**のです。なぜなら、見慣れたタイプの作品はどこにでもありそうな作品ともいえ、逆に異質さを感じる作品は、他にはない新しい価値があるといえるからです。

　世界中の幅広いジャンルのアート作品を観ている人にとって、異質なものに出会えることはある種の楽しみでもあり、そういったアートを理解する姿勢こそが重要なのです。

アーティストの将来性を見抜いて投資する

アートの購入資金は文化醸成に使われる

気に入ったアートを集めるということは、実のところ「与える」ことにつながります。一般的なギャラリーから作品を購入した場合、購入金額の半分がギャラリーに、半分がアーティスト本人に渡ります。ギャラリーに入るお金は、所属アーティストのプロモーションやキャリアアップといった育成などに使われ、アーティストに入るお金は、作品の対価としてだけではなく、作家の生活費や制作費になることで、彼らのアート活動を支えます。

つまり、作品を買うということは、アーティストを育成し、創作を手助けし、文化の醸成に役立っているといえるのです。

購入作品を美術館などに寄贈することだけが社会貢献のわけではなく、コレクションとして作品を購入することで、広く作家の創作活動を支える社会貢献ができるのです。

作品をコレクションするだけにとどまらず、それを売買することで、社会貢献が広がっていくこともあります。例えばコレクションした作品の価格が上がり、それを売買した利益によってさらに若手アーティストの作品を購入すれば、どんどんコレクションが広がっていき、多くの作家が継続して作品を創る糧になるのです。

良いアーティストの作品を買うことは、作家への寄付と似ています。若手であれば資産的に価値が上がるアーティストは、購入した20人のうち1人くらいかもしれません。それでもその1人だけで他の19人分の作品を超える価値に上昇する可能性があるのがアートの世界なのです。

コレクターとアーティストは投資家と起業家の関係

3時限目で詳しく説明しますが、現在、日本のアート市場規模は他国と比較すると非常に小さく、**アートが資産形成につながるという認識が浸透していません。**アートは作品がセカンダリーマーケットに乗った段階で、資産としての価値が世の中に公開されます。これはオークションの落札額が公表されるためで、起業家の株式が上場して一般公開のマーケットに乗るようなものです。

スタートアップ企業の資本参入は、誰でもよいというわけではなく、起業家と投資家の友好的な協力関係からはじまります。同じように、まだ若く才能のあるアーティストをサポートしてくれる一部のパトロン的なコレクターも、作家が成長できるように作品を購入してくれます。

短期的なリターンを望まず、投資価値がなくなるリスクも考えながら、より大きなリターンを期待して作品を買うコレクターは、スタートアップの投資家（エンジェル投資家）と心理的に非常に近いイメージがあります。アーティストは作家という個人事業主であり、才能を活かして巨匠へと羽ばたく起業家でもあるのです。その才能に賭けてみたいと思うコレクターは、作品の素晴らしさに惚れるだけではなく、作家の人間性に賭けているといえます。

このように、作品そのものを鑑賞して楽しめる一方、アーティストに投資し、資産形成ができるため、アートの市場規模が欧米を中心に拡大しているのは納得ができます。日本では、こういったアートの持つ投資家と起業家との関係性が浸透していないため、作品に投資するという意識が低いのです。一方で欧米や新たに台頭したアジア各国が現代アート市場を広げている理由には、資本主義としてアートを理解していることが挙げられます。

まずは気に入ったアーティストを作品購入という形でサポートし、そのアーティストの作品がオークションのカタログに掲載されるほどになった時点で売却し、そこで得た売却益でさらに若いこれからのアーティストの作品を買うというのが最も良い循環です［図2］。

多くの有名なコレクターはこのようにして、良い循環を自分で作っています。好きな作品を購入しているうちに、その作品が価値をつけはじめ、何十倍もの資産となり、それを売却したお金で将来的に伸びる作品の購入を繰り返していきます。アートを選ぶ審美眼と売買のタイミングをうまく活用することで、資産を築きあげることができるのです。

［図2］アーティストとコレクターの好循環

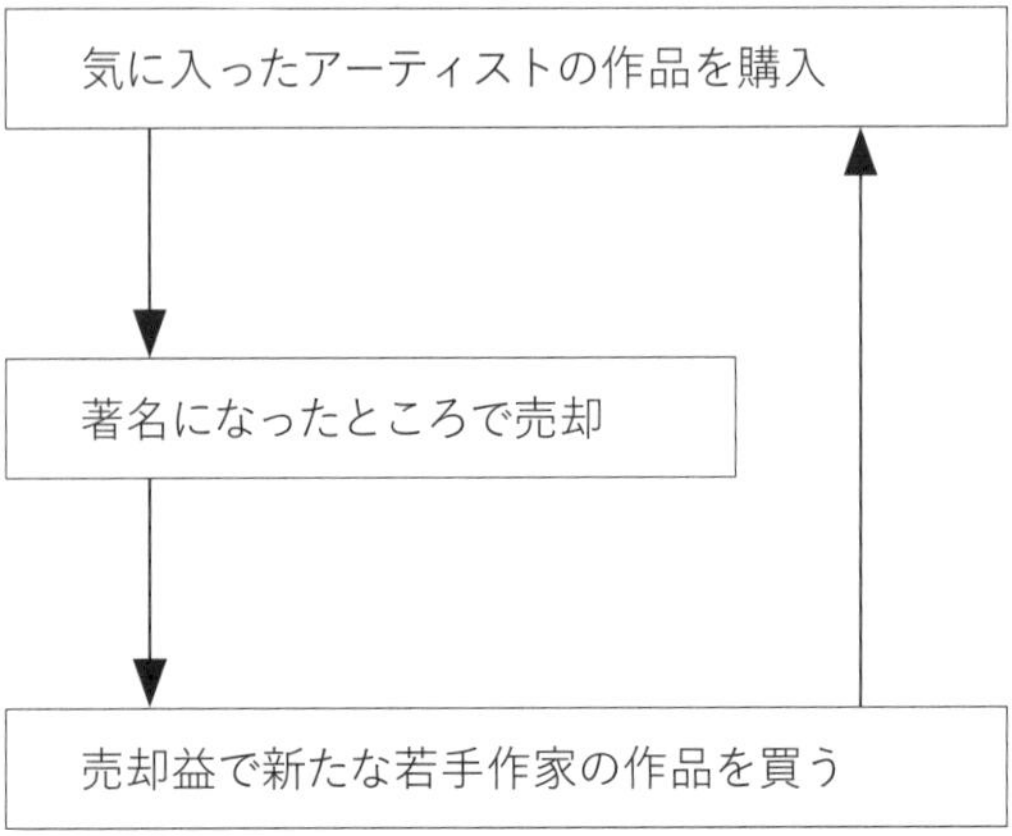
気に入ったアーティストの作品を購入
著名になったところで売却
売却益で新たな若手作家の作品を買う

自分の好きなアートを見つけるという作業は、地道で時間がかかりますが、良いコレクションを作るためには必要なことです。人生において何に時間とお金を使うべきなのかを考えた時、より文化的なものに対して価値を置きたいと考える人には、アートへの投資をおすすめします。

アーティスト＝個人事業主＝起業家と考えると、アート作品そのものも重要ですが、アーティスト個人の素質に目を向け、そのアーティストの成長を支えていくことが大切なのです。

アーティストの素養を見抜く

アーティストをよく知るためには本人に直接会うのが最もシンプルな方法です。一番簡単なのは、個展のオープニングに行くことですが、それ以外だとタイミングよく会う機会は少ないでしょう。直接会うのが難しければ、インターネットで作家の情報を収集したり、制作風景やインタビューの動画を見たりするなど、オンライン上で情報を得るのも良い方法です。

やはり、自分自身の考え方や感性に近い作家というのが最も相性がよく、そういう出会いがあれば、作風が変わっても引き続きアーティストを応援することができます。しかしながら、アーティストがウェブサイトを持っていたとしても情報が不十分だったり、個人としてのキャラクターを知るのが難しかったりすることも事実です。所属ギャラリーのウェブサイト上のアーティスト情報となると、過去の展示履歴といった基本的なものの羅列ばかりで役に立ちません。

アーティストのキャラクターを知る場合には、ＳＮＳを活用することをおすすめします。プロのアーティストとしての活動を考えている人は必ずＳＮＳ、特にFacebookやInstagramをやっている場合が多いので、そこで友達申請やフォローをしてその人となりを知ることも可能です。そうすると、アーティストからの展覧会情報を事前に入手できたり、活動状況や制作の経過を知れたりと様々なメリットがあります。

このように作家として成功するために必要な素養を見ることで、将来的に化ける可能性がわかれば、彼らが創る作品は将来的に価値が上がるだろうと推察できるのです。成功するための素養を見るには「アンテナを張っている」「コミュニケーション能力がある」「あきらめない忍耐力がある」の3つに注目するとよいでしょう。

これは投資家がスタートアップの経営者を評価し、投資するかどうかを判断するのと考え方が似ています。新しいアイデアを持っているアーティストは多くいますが、アーティスト個人の素養を見ることで、作品の将来的な価値を判断することが重要なのです。

アーティストの表現は伝わりやすいか

アーティストとは表現者であり、自分が表現したいことがあって、それを伝える職業です。その表現した内容に共感する人がいて、購入者は対価としてのお金を支払うのです。購入の行為は作品に対する所有欲や、才能に対する投資など様々ですが、いずれにしてもアーティストは表現したいものが伝えられてはじめて価値が生じます。

もちろん表現がパッと見では理解しにくいけれど、その内容を伝えられると後でじわじわくる奥の深い作品もあれば、壮大なスケールに圧倒されて一気に虜になる場合もあります。どちらにしろ、作家の考える本質に触れて感動するということは、表現したいものが伝わったからに他なりません。

コレクターの立場であれば、作品にわかりやすい説明とストーリーがあり、それに感銘を受ければ買ったほうが良いと考えます。しかし、作品の説明を読んでも何となくでしか理解できない場合は、その作品を理解できる人が少数派であることを意味します。作品が理解されないと購入や作家の周知が広がらないため、その作家が将来的に売れる可能性が低くなります。そのため、表現したいことが何かわからないまま感覚的に買うのは避けたほうがよいでしょう。

アートを購入される際には、必ずウェブサイトに買いてある内容を事前に読み込んだり、ギャラリストに詳しく聞いてみたりしてください。まずはそこで納得できるかが重要であり、よくわからないと思ったら買うべきではありません。

しかし、一目見ただけでインパクトが強烈であり、見るだけで十分な説明不要の作品もあるので、そういった作品に出会った際は迷わず買うべきです。従来、作品とは「百聞は一見に如かず」であるべきなのです。

つくる作品の数が多いアーティストから買う

世界で人気があり価値も高い宝石といえばダイヤモンドを思い浮かべるでしょう。おそらく世の中にはダイヤモンドよりも希少性の高い宝石はあるでしょうが、ダイヤモンドは硬度が最も高く、傷がつきにくいため取り扱いがしやすいことと、透明度が高くどんなファッションにも合わせられることが人気につながったといえます。ダイヤモンドのように需要があり、マーケットを作りやすい商品の価格が上がると、マーケット全体の規模が大きくなるため、業者は取り扱いたいというモチベーションが上がります。

アート作品も同じで、作品数が多いほうがマーケットを作りやすいといえます。そのためオークションハウスは多作のアーティストの作品を扱いたがり、そのアーティストの価値が上れば、取り扱い量を増やします。これは、作品数が多作であるということは、作品を制作するスピードが早く、アイデアにあふれ、継続的に作品が制作されているということにつながるためです。

制作が遅いということはデメリットが多く、例えば顧客のニーズに作品の納期が合わせられないなど、様々な問題が発生してしまいます。作品が緻密すぎて制作に時間がかかるアーティストは、以前は評価されたこともありましたが、現在はそのような一作品における手数が多いことは、それほど評価されることではなくなっています。工芸作品であれば超絶技巧は評価されるでしょうが、現代アートではコンセプトのおもしろさや斬新さ、社会的なメッセージや多くの人の心を動かす共感力が、作品としての優劣を決めるのです。

多作のアーティストというのはそもそも作品を制作するスピードが早く、売れるかどうかわからない実験的な作品を作る場合に、早めに作って外部に見せることで、マーケットの反応をいち早く知ることができるという点でも有利です。多作のアーティストは売れ行きに応じて作品を変えたり、作品の量を増やしたりすることができ、さらに経験が増えることで制作がスピードアップしていくのです。そういう中で、作品を作るのが遅いアーティストは、版画制作などマルティプル（量産される作品）を作ることで作品量を補うことも可能です。その場合には、当然版画でもオリジナルと変わらないようなクオリティーが求められます。

いずれにしてもセカンダリー市場を視野に入れた場合に、オークションハウスなどの業者が必ず多作のアーティストを優位に取り扱うことは理解できます。それならばアートを買う側の立場も多作のアーティストを選ぶほうが、将来的に価値が上がる可能性が高くなるのです。

では次に、アート購入の際に大事なマーケット感覚について学んでいきましょう。

アートの価格はマーケットによって醸成される

アートはある種の観るエンターテインメントであり文化的な楽しみでもあるため、作品を鑑賞する時に購入を意識しないことが多いのも事実です。しかしながら、マーケット感覚を身につけるにはアートをただ漫然と観るのではなく、スーパーに買い物に来たような感覚で、購入を意識して作品を鑑賞する習性をつけることが大事です。買うつもりで作品を観ることで、マーケットを意識したインプットができるのです。例えば通常は購入ができない美術館でも、「もし自分が買うとすれば」という観点から観ると、作品が全く違って見えることがあります。

インスタレーションや映像作品のような買いづらい作品でも、これを実際に購入すればどうなるのかなどを想像するとよいでしょう。近年ではテクノロジーの発展によって、デジタル作品や映像作品も購入できるようになってきていますし、購入を意識するとしないとではアウトプットに大きな違いが出ます。

アートの価格は作家の略歴、サイズ、素材といったロジックで決まる部分はごく一部で、大部分がマーケット感覚によって決まります。それは個々のマーケット感覚の集合知によって作られるのです。一人が価格を決めているように見えて、実は**アートの価格はマーケット全体によって醸成される**こと、私たち自身もその一部となっていることを意識しましょう。自分のマーケット感覚を集合知と比較しながらアートを購入すれば、必ず良いコレクションになるに違いありません。

全体的なトレンドを知る

コロナ禍のように経済が停滞する時に出現するアートをどう見極めるかはコレクターの腕次第で、新しく出てくる作品の情報を冷静に分析することが必要となってきます。不況期というのは後々の巨匠が出てくる時期でもあり、新しいコンセプトを引っ提げて経済の停滞を吹き飛ばす芽が、すでに出はじめている時なのです。

これまでも大きな時代の変化には以下のような、3つのアートの新しい芽が出現しました。

❶新しいテクノロジーを活用したアート

カメラの発明により、写真もアート作品の表現の一つとなりました。さらには映像作品、デジタルアートなど新しい技術を使ったアートは静かに登場して少しずつ増えています。現代アートの潮流として間違いのないトレンドは、テクノロジーがアートと融合することです。ブロックチェーンの技術を使ったＮＦＴアートが話題になり、今後はドローン、ＡＩといったテクノロジーだけではなく、シェアリングなどの技術までもが、販売や制作に活かされる可能性があります。

最近でいえば、最も作品価格の上昇が著しいアーティストとしてチームラボが挙げられます。もともと、チームラボはＩＴ技術を使ったシステム開発の会社でしたが、代表の猪子寿之を中心としてデジタルアート作品を作ることで、現在は多くの美術館、イベントで引っ張りだことなっています。同時にアート作品としての評価も高く、ニューヨークで奈良美智、杉本博司といった作家を取り扱うトップギャラリーのPace Galleryで個展を成功させ、作品も即完売という実績を残しました。

今最も勢いのあるチームラボの作品の強みは、テクノロジーとアートを融合していることです。ＩＴ企業でもある彼らからすると、デジタルサイネージやプロジェクションマッピング、アルゴリズムの手法をデジタル作品に活用することなどお手の物でしょう。これまでＩＴ企業そのものがアート作品をつくることがなかっただけに、業界におけるインパクトは大きく、現在ではほぼ一人勝ち状態となっています。しかしながら今後は猪子寿之の才能を凌駕するようなＩＴ企業が、海外からも出現する可能性があり、状況は群雄割拠となるでしょう。

タクラム、ライゾマティックス、落合陽一らのつくるメディアアートなどが次のチームラボの後を追うように、新たにテクノロジーとアートを融合させた作品が生まれてくると予測されます。

こういった流れの特徴は、いずれも個人ができることの限界を超えて、集団や組織の中で作品を作っている点です。個人のアイデンティティを出しやすい世の中になってきているのと同時に、集団の力で効率的にスケールの大きな作品を作るという二極化が進んでいます。集団化はまさに、チームプレーで力を発揮しやすい日本のお家芸です。人々をあっといわせる映像作品を作るChim↑Pomもその一つであり、集団で作品を創っています。

テクノロジーがアートに入ってくる潮流はこれだけにとどまりません。例えば歴史的にみても、カメラが一般家庭に普及するまでは写真作品がアートとして認知されることはなく、映像作品やメディアアート作品もビデオカメラやパソコンが普及するまではアートとして認識されませんでした。版画も今では数量限定で複製される作品として一般的ですが、リトグラフ、シルクスクリーンにとどまらず、書籍製作などの大量印刷で使われるオフセットプリントの作品でさえ、サインがあれば作家個人の作品として認識されます。

このように、アート作品の複製化が進むことで多くの人がアート作品を買えるようになり、アートの大衆化はより進化しました。テクノロジーの進化は、アートが大衆に認知されることを助長し、広く伝わっていくことにつながるのです。

真贋判定についても同様にテクノロジーの活用が期待されます。将来的には、作家のＤＮＡ判定の技術で作品を鑑定したり、個人認識できるＩＣチップを作品の中に入れるなどの未来が予想されます。もし、そのように技術が進化すれば真贋判定が容易になるとともに、アーティストが自身で発表した作品の管理や認定もたやすくなるでしょう。

インターネットの出現によって、アートの作品制作の分野だけではなく、コミュニケーションにおいてもその変化が起こってきています。バーチャルな空間での作品との関わりが容易になったことで、ギャラリーに行く人が減ることなく、ネットによる認知が次なる行動を引き起こすようになりました。ギャラリースペースに作品を見に行くというライブ体験、アートを買うという今までにない体験は、インターネットを通じてより多くの人が知るようになり、今後ますます増えていくこととなります。そうなると、ギャラリーの展覧会はよりイベント的な要素が重要になり、体験的なアートをより多くの人が欲するようになってくるでしょう。

アートに多くの人が触れるようになる一方で、作品の価値を高めるためには話題性の醸成など、作品の購入までのプロセスにも付加価値をつける工夫が必要となってきます。またテクノロジーの導入によって、アート作品が映像作品、インスタレーション、パフォーマンスアートへと進化する中で、アートは所有して部屋に飾ることに意義があった時代から変わってきています。

その他にアートにはどのように保管し、作品としての価値を担保するかという問題があります。しかし、今後のアートのコレクションは作家の持つ知的財産を一部所有するような意味へと変わっていき、部屋に飾るだけが目的ではなくなってくるでしょう。

このようなテクノロジーの進化が、アートそのものの流通形態やコレクション方法にも変化を与えていくことは間違いありません。固定観念から自由になることがアートであり、旧来の常識からの脱出をアートに望むのであれば、私たちもこのようなテクノロジーによって変化する新しい潮流を理解する必要があります。

❷大衆文化がアートへ昇華

これまでも浮世絵をはじめ、広告、漫画、アニメといった大衆文化が、ハイアート（高級芸術）へと変わっていったことがありました。誰もが知っているサブカルチャーをアートの文脈へと変えていくことは、いつの時代でも行われていたことです。今後はゲーム、ＳＮＳ、ストリーミング動画といった大衆コンテンツがアートへと昇華していくことも予想されます。それとともに作り手から鑑賞者への一方向のアプローチだけではなく、共感する様々な第三者の集まり（オフ会）のようなものがゆるく組織化され、アートを制作することも出てくるでしょう。

❸アートの再定義

マルセル・デュシャンの『泉』にはじまり、いつの時代もアートは、「アートとは何か」を再定義することで、新しいアートの可能性を生み出してきました。インスタレーション、パフォーマンスアートなど新しいタイプのアートの表現は、常に有識者には「これはアートではない」と批判されてきましたが、いつしかそれもアートの一つとして再定義されてきた歴史があります。今後は、ＡＩなどのように人間以外が作る作品もアートだと再定義され、YouTubeやＳＮＳで展開されるパフォーマンスも一つのアートとして定義されることになるでしょう。令和の時代には、作り手がアートを定義していた時代から、鑑賞者がアートの定義を決める時代になっているのです。

コロナ時代には家にこもることが多くなるため、創作に打ち込む多くのアーティストが生まれ、アートが大量にあふれることにより、個別の作品を美術史の文脈にあてはめるという作業そのものが意味を持たなくなることも予想されます。今まで見たこともないアートが次々と出現する中で、一般の人から見たら、「どれがこれまでにない新しいコンセプトなのかわからない」という問題点も出てきます。

世界中のアートを観ている専門家からすると、どこにでもある二番煎じのようなアートでも、一般の方からすると「これはすごい」と勘違いしてしまうことも起こりうるでしょう。しかしそのような専門家でも、アートの個別のカテゴリー分けはこれまでよりも難しくなってくるはずです。鑑賞者による見え方と制作者による見え方には違いがあり、必ずしも制作者サイドからの作品のとらえ方が万能なわけではないというのもその一因です。

今後は、アートのコンセプトをどう見るかは作り手から鑑賞者の手に委ねられていきます。アーティストの手を離れ、アート作品はその意味が変容していくものとなるのです。実際に作家が亡くなった後に評価される作品については、鑑賞者側の価値観でしかなく、作家の意図は想像でしかありません。

このように新しいアートが溢れ出るように発表されていく時代には、アートの価値は鑑賞者に委ねられ、より民主化していくでしょう。作家の意図を、情報として事前に仕込まなくてもわかるよう制作にも工夫が必要になり、これまでのように「詳しくはコンセプトを読んでください」といったことが通用しない時代が来るのです。民主化すると、デジタルを活用したアーティストとコレクターの、コミュニケーションが拡大し、相互関係が充実していくと予想されます。このような潮流にいち早く気づいたアーティストやコレクターが、将来の新しい世界観を先どりしていくことになるでしょう。しかし、かつての絵画や彫刻だけとは違い、映像やデジタルなど何にでもアートになる時代だからこそ、他にはない価値づけがより重要であり難しくもあるのです。

1時限目のポイント

・アーティストとは「常に何かを創らざるを得ない人」
・アートは残すことが目的のストック型のエンターテインメント
・アート投資と投機は違う
・資産としてのアートに必要なのは「情報」
・評価の上がる作品の特徴は「発明品」と「インパクトの大きさ」
・コレクターとアーティストは投資家と起業家の関係に近い
・アーティストの素養を見ることで作品の将来性もわかる
・アートの価格はマーケット全体によって醸成される

POINT

2 時限目

アート流通の基本構造を理解する

アートマーケットの基本的な仕組み

アート流通の構造（プライマリー／セカンダリー）

アート流通の基本構造として、アーティストが制作した作品を最初に取り扱うことを、一次販売という意味でプライマリーといいます。プライマリー作品は、ギャラリーからの購入が一般的ですが、作家個人から直接購入することも含まれます。

セカンダリー作品とは、一度購入者の手に渡った後に二次販売される作品のことをいい、一般的には新品に対して中古品として分別されます。ただしアートの場合はコンディションに問題がなければ質が下がるものではないため、セカンダリーでは多くの作品が取り引きされます。価値が下がるどころか、プライマリーでは制作の面で供給量が制限されるため、買い手が多いアーティストの作品は、セカンダリーで価値が上がるものが多くあります。

したがって、人気のあるアーティストについてはプライマリーよりもセカンダリーのほうが、作品数が出まわることになり、どうしてもそのアーティストの作品が欲しい場合には、セカンダリーを購入するのが手っとり早い方法といえます。

需要と供給を反映するのがオークションの価格

アートのセカンダリー取り引きは、店舗での買い取り、オンライン取り引き、オークションハウスなど様々な形でなされていますが、中でも大きな金額が動くのはオークションハウスです。作品を獲得するために、最高価格を競うオークションでは、落札額が記録として残り、これがプライマリー価格にも反映されます。アートの価格を上げる手段として、このオークションというシステムが大きく関わっているのです。

しかし、アーティストや作品の人気に火がつくと価格が異常に高騰し、適正価格では買えなくなってしまうこともあるため、オークションは安く作品を買いたい人には難しいところなのです。

そもそも価格というものは、需要と供給との間で決まり、アートのように供給量に制限のある商品は、需要の量(人気度)によって大きく決定されるものです。本来なら人気が上がった分だけ供給を増やせばよいのですが、アート作品の場合はそう簡単にはいきません。しかしプライマリーでは、急な価格の高騰は顧客を納得させるのが難しく、購入がついていけなくなるので、人気の高まりがあってもゆったりとした価格の上昇にせざるを得ないのです。つまり、**ギャラリーのプライマリー価格は、需要と供給の実態に即していないことがある**のです。

これに対してプライマリーの価格にセカンダリーマーケットが調整を入れること

で、需要と供給にマッチした価格に近づけることが可能となります。つまり、オークションで落札された価格に応じて、ギャラリーのプライマリー価格を徐々に上げていくということです。

ただしオークションの特徴として、どうしても買いたいという競合同士が会場内の異常な熱気で買い争って想像を超えた価格となる可能性もあり、必ずしも正しく人気度が反映されるわけではありません。しかし、それでもギャラリーのプライマリー価格よりもマーケットを反映した価格であることは間違いないのです。

また、オークションの価格がマーケットの需要と供給を反映した価格である以上、セカンダリーマーケットの価格がプライマリーを先導するように変わってきます。ギャラリーの販売するプライマリー価格はオークションの後追いとなり、セカンダリーの落札価格よりも高く売ることはなくなってきます。つまり、プライマリー価格で新作を買うほうが明らかにお得であり、これには順番待ちをしてでも買いたいファンを増やしたいというギャラリー側の思惑があるのです。

サザビーズやクリスティーズという大手のオークションハウスは取扱い作品のクオリティーもさることながら、顧客の質も高く、作品さえ良ければいくらでもお金を出せるような富裕層を多く抱えています。したがって、国内のオークション取り引きから抜け出て、海外の一流オークションハウスで作品が取り引きされるようになれば、同じアーティストの作品も大きく価格が上がる可能性があるのです。

また、オークションハウスをはじめ、セカンダリーマーケットとつながっているギャラリー所属のアーティストであれば、オークションに出品される可能性が高くなるでしょう。オークションハウスからすると、ギャラリーで購入した作品を持っているコレクターと懇意になり、将来的に作品をオークションに出品してもらいたいと思っているからです。

アートが売りに出される場面の3つのD（Death／Divorce／Debt）

アートは株式や不動産などと同じように、不況になると価格が下落する商品の一つです。下落するのは相場モノと呼ばれるオークションなどに出ているセカンダリー作品になります。

不況時は作品を安く買えるチャンスですが、実は不況の時に良い作品が出てくるかというと、なかなか出てこないのです。それは相場が悪いと作品が高く売れないことを知っているコレクターが、その時期にはあえて出品しないからなのです。

一方オークションでは、「Death（死）」「Divorce（離婚）」「Debt（負債）」または「Default（破産）」の3Dのタイミングで、持っていた作品を手放し、オークションに出品することが多いといわれています。好不況の影響を受けてセカンダリー作品の価格は大きく上下するので、絶好のタイミングで買うには情報の収集が不可欠ですが、一方でプライマリーの作品は、景気に影響されにくいため飛び切りの作品を不況期でも買うことができるチャンスなのです。

ビジネスの世界では、不況で相場が悪い時代に、必ず勢いのあるスタートアップが出現するといわれています。FacebookやTwitterは創業から4年以内のタイミングでリーマンショックを経験し、2008〜2010年の不況期間には、Uber、Airbnb、Instagramが誕生しました。もっと過去を振り返れば、マイクロソフト（1975年）やアップル（1976年）も、石油ショックと不況が重なっている時期に誕生しています。

これはアートについても同様で、1990年代前半のイギリスの経済低迷と不動産不況の時に、YBA（ヤング・ブリティッシュ・アーティスト）と呼ばれる新しいアーティストたちが台頭しました。ダミアン・ハーストをはじめとして、トレイシー・エミン、レイチェル・ホワイトリード、ダグラス・ゴードン、クリス・オフィリといった今のスターたちは、この時期に出てきているのです。

セカンダリー市場を知るための3つのアクション

セカンダリー市場では、落札の結果がオークション会社のウェブサイトなどで後日確認できるため、プライマリー作品に比べるとセカンダリー作品は、その傾向を読みとりやすいといえます。とはいえ、常に最新のデータをアップデートしないとすぐに情報が陳腐化するので注意が必要です。また、落札価格がどのように競りあがっていったかの感覚は、現場の臨場感から養う必要があります。

プライマリー作品の価格は、セカンダリー市場の人気度によって変わり、プライマリーとセカンダリーはリンクしているのだということを理解して、別のマーケットとしてとらえないことが大事です。

セカンダリー市場を知るためにできるアクションは、以下の3つになります。

❶オークションに参加する
❷オークションの落札結果をデータで読む
❸読み込んだデータを分析する

最初はまず、**オークション会場に実際に行ってみること**です。オークションというと敷居が高く、招待されないと参加できないと考えている人もいますが、実際には身分を証明するものを提示できれば誰でも参加することができ、入札する必要もありません。

オークションに行くことで、セカンダリー市場がどのように成り立っているか、その実情を、身をもって知ることができます。

クリスティーズやサザビーズのような大手のオークションハウスはわざわざカタログを取り寄せるまでもなく、ウェブ上で過去のオークション取り引きの結果や、今後開催される作品が掲載されています。このような情報を細かく見ていきながら、全体の傾向を頭に叩き込むのがおすすめです。作家別にデータを読み込み、その価格の上昇と各国際展やアートフェアとがどのようにリンクしているのかを理解できれば、よりマーケットを深く理解できるようになります。

世界のセカンダリー取り引きの現場

世界のアートのセカンダリー取り引きの市場規模は3〜4兆円といわれており、最近の特徴としては戦後の現代アートの割合が急拡大していることが挙げられます。

以前は戦前の近代絵画がメインの取り引きであったのに比べ、21世紀に入ってからは現代アートのオークション取り引きでも1点数十億円を超えるものが増えてきており、近年では100億円を超える作品も取り引きされるようになりました。

欧米のオークション市場での高まりを追うかのように、2000年以降に中国でもオークション市場が急拡大しており、2016年には一時的に中国のオークションの売り上げ規模がアメリカを抜くなど(2017年にはまたアメリカが1位)、多くのマネーがアートに集まってきています。

アジアのマーケットは中国を筆頭に、香港、台湾、韓国、シンガポールが急成長しており、各国で開催される国際的なオークションの取り引き額は、日本をはるかに上まわっています。

飛ぶ鳥を落とす勢いの中国のセカンダリー市場ですが、一方でプライマリー市場は、アーティストの新作がそのままセカンダリー市場に流れてくるなど脆弱な状態でしたが、コロナ禍で他国のマーケットが伸び悩む中、中国だけはプラス成長となっています。

日本のセカンダリー市場の実情

さて、日本にもアートのセカンダリー市場がありますが、特に現代アートにおいて、リーマンショック以降のダメージが残り、まだマーケットを回復中の状況です。欧米をはじめ、アジア各国も一時的にダメージを負いましたが、今では完全に払拭し、リーマンショック以前よりも大きなマーケットを作っています。

平成バブル崩壊の十数年後に再び起こったリーマンショックは、アートの価格を暴落させ、その影響は強く、日本にとって現代アートが資産としての価値を失った遠因となったようです。

また、平成バブル以降に大衆的な人気の中で売買されたインテリアアートが出現し、セカンダリー市場のないマーケットが形成されたことも、アート市場に不安が増した原因となりました。

そして、もう一つのセカンダリー市場が大きくならない理由として、日本独特の業者内取り引きである「交換会」というものの存在があります。

日本独特のオークションシステム「交換会」は、画廊同士の互助会のような組織で、一般の人は参加することができません。交換会に入会しているそれぞれの画廊のみでセカンダリー作品がオークション形式で売買されます。交換会を通して作品が売れた時は即現金化され、買う時は延払いができるので、所属している画廊は交換会で作品を売買さえすれば、資金繰りに苦しまずにすむという大きなメリットがあります。所属している画廊同士の結束は固く、高い入会費と会員画廊からの紹介がなければ入ることはできません。

画廊にとっては良いシステムですが、交換会内で何度も売買されて値段が釣り上がった作品を、結果的にコレクターが高値で買っています。つまり、多くの画廊の利益を乗せた作品に、コレクターが高額なお金を払わされているのです。

この慣習は主に、日本画、洋画といった作品での取り引きが多く、現代アートの業界ではさほど多くありませんが、例外的に草間彌生や具体美術作家などの作品は交換会に数多く出品されています。

このように、複雑に重なり合う負の連鎖が、現在の日本のアートマーケットを矮小化させているのです。

アートの価格は今世紀に入って急激に上昇している

インターネットの普及が新たな市場をつくった

2000年以降になってから、オークションでのアート落札価格が大幅に上がっています。その主な理由は、インターネットの普及によって誰もがアクセスできる新たな市場が広がったことにあります。90年代までは、オークションに参加するにも、事前にオークション会社から招待状を受けとる必要がありました。かつては参加者が参考にする情報もカタログと現物のチェックのみでしたが、現在ではインターネットによって、いつでも過去の落札価格を検索したり、おおよその市況観をつかんだりすることが可能になっています。

アートを購入するうえでも、以前のようにギャラリーやオークション会社の意見だけを参考にするのではなく、事前にネットで作品データの調査・分析をすることで、価値ある作品を探りだすことが容易になりました。これが市場の拡大に大きな影響を及ぼすことになったのです。

前澤友作氏の購入後、バスキアの価格は上昇した

2017年5月に、株式会社ZOZOファウンダーの前澤友作氏が、ジャン＝ミシェル・バスキアの代表作を123億円（約1億1000万ドル）という高額で落札したことが話題になりました。歴代のオークションで戦後生まれのアーティス

トとしては、現在バスキアの落札額が最高値になっています。余談ですが、現存するアーティストでは、2019年5月15日にクリスティーズ・ニューヨークで開催されたオークションで、ジェフ・クーンズの『ラビット』が9107万5000ドル（約100億円）で落札され、デイヴィッド・ホックニーが持っていた現存アーティストのオークション最高額を更新しました。

［図3］戦後生まれのアーティストのオークション落札合計額（2015年）

	落札合計額（ドル）	アーティスト名
1	1億2582万1223	ジャン=ミシェル・バスキア
2	1億1299万3962	クリストファー・ウール
3	8187万5747	ジェフ・クーンズ
4	6629万1922	ピーター・ドイグ
5	6520万3894	マルティン・キッペンベルガー
6	3526万4485	曽梵志
7	3289万935	リチャード・プリンス
8	2495万7628	朱新建
9	2456万2694	キース・ヘリング
10	2275万2256	ダミアン・ハースト
11	2220万1414	ルドルフ・スティンゲル
12	1837万6503	アニッシュ・カプーア
13	1704万4008	シンディ・シャーマン
14	1628万7181	周春芽
15	1591万7355	マーク・グロッチャン
16	1536万9274	奈良美智
17	1507万5422	アンゼルム・キーファー
18	1494万9549	ウェイド・ガイトン
19	1423万6400	マーク・タンジー
20	1416万435	劉煒

出典：Artprice.com

前澤氏が購入した後、バスキアの価格がマーケットでどのように変化したか見ていきましょう。

まずは、前澤氏がバスキアを購入する前である2015年の戦後生まれのアーティストのオークション落札合計額のランキングを見てみましょう［図３］。この年にはじめてバスキアはトップに立ったのですが、そのすぐ後にクリストファー・ウールが続いており、その差は大きくありませんでした。

次に、前澤氏がはじめてバスキアの『Untitled』を５７２８万５０００ドル（当時のレートで約62・4億円）で購入した２０１６年のランキングを見てみましょう［図４］。

［図4］戦後生まれのアーティストのオークション落札合計額（2016年）

	落札合計額（ドル）	アーティスト名
1	1億3947万6214	ジャン＝ミシェル・バスキア
2	8402万4644	クリストファー・ウール
3	5850万2501	ジェフ・クーンズ
4	5588万910	リチャード・プリンス
5	4465万9183	ピーター・ドイグ
6	3171万3367	奈良美智
7	2844万5055	ルドルフ・スティンゲル
8	2425万9022	キース・ヘリング
9	2261万3003	曽梵志
10	2112万2129	アンゼルム・キーファー
11	1983万8753	マウリツィオ・カテラン
12	1642万5698	張曉剛
13	1625万9564	マーク・ブラッドフォード
14	1580万811	ダミアン・ハースト
15	1533万1356	エイドリアン・ゲニー
16	1529万8000	マーク・タンジー
17	1324万8793	マイク・ケリー
18	1316万5912	劉炜
19	1279万1202	村上隆
20	1229万4829	陳逸飛

出典：Artprice.com

バスキアは前年に続き再びトップに立っていますが、2位のクリストファー・ウールとは大きく開きつつあり、その差はおよそ５５００万ドルです。ちょうど前澤氏がバスキアの『Untitled』を購入した金額がおよそ5700万ドルなので、前澤氏が高額で落札したことで、バスキアの1位が確実になっていたことがわかります。

［図5］の2017年のランキングになると、1位と2位の差は歴然となっています。もちろん前澤氏が落札した約1億1000万ドルの影響が大きいですが、それを除いてもバスキアの落札額は2億ドルもあり、それだけでもダントツです。2位のピーター・ドイグや3位のクリストファー・ウールとの差は数倍となり、そう簡単に覆らないところまできています。

次に、2017年10月から2018年9月までの1年間の戦後生

［図5］戦後生まれのアーティストのオークション落札合計額（2017年）

	落札合計額（ドル）	アーティスト名
1	3億1352万830	ジャン＝ミシェル・バスキア
2	6065万1662	ピーター・ドイグ
3	5262万2505	クリストファー・ウール
4	5153万9840	ルドルフ・スティンゲル
5	3904万6320	マーク・グロッチャン
6	3602万684	リチャード・プリンス
7	3587万8411	奈良美智
8	3482万3067	キース・ヘリング
9	3109万9780	曽梵志
10	3007万1188	ダミアン・ハースト
11	2826万7616	エイドリアン・ゲニー
12	2399万9092	アンゼルム・キーファー
13	1855万2016	アルベルト・ウールン
14	1637万4654	マーク・ブラッドフォード
15	1560万4353	ジェフ・クーンズ
16	1492万829	トーマス・シュッテ
17	1462万9862	張曉剛
18	1352万6334	ジョン・カリン
19	1331万3752	ジョージ・コンド
20	1314万7163	周春芽

出典：Artprice.com

[図6] 戦後生まれのアーティストの作品別の落札額ランキング(2017年10月～2018年9月)

	落札価格(ドル)	アーティスト	作品名	オークション年月
1	4531万5000	ジャン=ミシェル・バスキア	『Flexible』	2018年5月
2	3071万1000	ジャン=ミシェル・バスキア	『Flesh And Spirit』	2018年5月
3	2281万2500	ジェフ・クーンズ	『Play-Doh』	2018年5月
4	2264万280	陳逸飛	『Warm spring in the jade pavilion』	2017年12月
5	2159万4014	ジャン=ミシェル・バスキア	『Red Skull』	2017年10月
6	2112万7500	ピーター・ドイグ	『Red House』	2017年11月
7	2111万4500	ケリー・ジェームズ・マーシャル	『Past Times』	2018年5月
8	2012万5811	ピーター・ドイグ	『Camp Forestia』	2017年10月
9	1995万8612	ピーター・ドイグ	『The Architect's Home In the Ravine』	2018年3月
10	1942万2139	ジャン=ミシェル・バスキア	『Untitled』	2018年6月
11	1768万936	ジャン=ミシェル・バスキア	『Jim Crow』	2017年10月
12	1672万8820	ジャン=ミシェル・バスキア	『Multiflavors』	2018年3月
13	1516万6515	ピーター・ドイグ	『Charley's Space』	2018年3月
14	1447万2784	クリストファー・ウール	『Untitled』	2018年3月
15	1197万9851	マーク・ブラッドフォード	『Helter Skelter I』	2018年3月
16	1109万6876	マルティン・キッペンベルガー	『Ohne Titel』	2018年6月
17	1095万3500	ジャン=ミシェル・バスキア	『Cabra』	2017年11月
18	1075万5224	ジャン=ミシェル・バスキア	『New York, New York』	2018年6月
19	1062万3791	陳逸飛	『Beauties on Promenade』	2018年5月
20	1043万7500	ピーター・ドイグ	『Almost Grown』	2017年11月
21	1015万7506	ピーター・ドイグ	『Daytime Astronomy (Grasshopper)』	2018年6月
22	933万3257	ジャン=ミシェル・バスキア	『Untitled』	2018年5月
23	882万6036	村上隆	『Dragon in clouds-red mutation』	2018年4月
24	826万2500	クリストファー・ウール	『Untitled』	2018年5月
25	813万1000	ジャン=ミシェル・バスキア	『Flash in Naples』	2017年11月

出典：Artprice.com

まれ作家の作品別落札額ランキングを見てみましょう［図6］。

この表には前澤氏の落札分は含まれていません。つまり、前澤氏が１２３億円でバスキアを落札して以降、なんとランキングの上位25点のうち10点がバスキアの作品となったのです。前澤氏の意図ではないと思われますが、バスキア人気が完全に他を圧倒し、戦後生まれの作家の中では、バスキアは他の追随を許さないほどになってしまいました。

近年、このようなアートの高額落札についてはニュースなどでよく目にするようになりました。１００億円（９２００万ドル）以上で落札された作品の数は、２０２０年7月時点ですでに50点を超えています。そのうちの42点が２０００年以降に落札された最近のものです。

２０１7年に前澤氏が落札したバスキアの１２３億円の作品は、過去の落札額ランキングでは35位で、前澤氏がバスキア購入後の3年以内のオークションでは１００億円超えの落札が10件もありました。

とはいえ、１００億円といわれても一般庶民にはピンとこない数字だと思います。例えば、上場している日本企業の株式と比較してみると、株式時価総額が100億円以上の会社は730社ほどあり、全上場企業3714社の上位20％にあたります。つまり、日本の上場企業の80％は絵画1枚分の価値にも満たないということなのです。そう考えると、現在のアートの価値はとんでもなく高額であることがわかるでしょう。

アートの価格が上がる仕組み

では、アートの価格はどのように決まって、どのように上がっていくのでしょうか。時間と労力をかけた作品や材料の元値が高い作品であれば、なんとなく価格に対する納得感はありますが、コンセプチュアルな現代アートは価格の根拠がわかりづらいものです。しかし、作品の価格には必ず根拠があり、それが上がる仕組みもあります。

まず、アートは存在自体が合理性とは対極にあるものです。アーティストは自ら創りたいものを創り、購入者は作品を必ずしも合理的な理由で買っているわけではありません。コスパに対するアンチテーゼのようなものがアートであるといえ、**アートに使われる素材が価格に反映される部分は少なく、付加価値が価格の90%以上を占めるのです。**

そのアートの付加価値や価格はどのように決められているのでしょうか。

アートの価値は作品そのものが持つコンセプトとストーリーによって決められ、価格は需要と供給をもとに決められます。

アートは必ずしも「価値＝価格」にならないのが他の商品との違いです。まず、「価値」とはそもそも客観的な判断によって決まるものではなく、あくまで個人の主観で評価するものです。個人が良いと感じれば高い価値であり、それは個人が決めることなのです。つまり本来は評論家や学芸員から下される評価によって価値が決まるものではないのです。しかし、このような原則とは裏腹に、アートに関しては、第三者からの評価をもとに価値が決められているのが現状です。

さらに「価格」についても原則をおさえておくと、通常であれば需要と供給の関係によって決まります。つまり、制作数に限りがある人気作品は需要が高いため価格が上がります。しかし、これもアートにおいては第三者の評価や判断をもとにオークションのエスティメート（見積もり価格）が作られ、それをもとに価格が形成されているのが現実です。オークションの人気に対して、美術評論家などのような学術的な権威が歯止めをかけたり、または勢いをつけたりするのです。アート作品のブランディングとしては、大衆化しすぎることがマイナスイメージになることもあるので、このような学術的な権威に作品を評価してもらい、後から価値を付与することもあるのです。

価格はマーケットの人気で決まり、価値は個人の主観によって判断される中で、アカデミックな評価がいまだにものをいう世界がアートなのです。

アートの価格を決める仕組みは年月をかけて変化していきました。アートの価格は、かつて、作家の略歴やギャラリー内の販売年数など年功序列のような仕組みによって決められていました。それが現在では、作品の人気度によって価格が上がるセカンダリー主導の仕組みに変わってきています。オークションによるセカンダリーマーケットが拡大するにつれ、富裕層が所有していた希少な作品を一部の欲しい人が買うイメージから、自由に売買される市場へとイメージが変化し、現在に至ります。

2017年11月15日、ニューヨークのクリスティーズのオークションでレオナルド・ダ・ヴィンチの作品『救世主』が508億円で落札されました。オークションにおける作品の落札価格は、応札者同士による競売の度合いによって左右され、どうしても欲しいという人が増えれば価格は高騰します。

通常なら美術館に納まるべき作品が市場に流出することはめったにないので、この時のダ・ヴィンチの作品は、「もう出まわることがない」という希少価値が価格にプレミアをつけたのでしょう。お金に糸目をつけずにどうしても買いたいという人が増え、競争が激化したと思われます。つまり、作品価格は最終的に需要と供給が一致して決定されるので、ファンが多い人気作品は高騰する仕組みになっているのです。

では、高騰する作品の価値は何で決まっているのでしょうか。作品の価値は単純に人気による競争だけで決まるのではなく、高騰に値する作品そのものが評価されていることが重要なのです。**価値は作品を作るまでの過程やその技術力ではなく、作品そのものが持つコンセプトとストーリーにあります。**いくら制作コストが高かったり、作業時間がかかったりしても、それはあまり価格には反映されません。

その作品が「美術史的に重要な文脈とストーリーを持つかもしれない」と期待する人の数が増えてくると価値が急激に上がってくるのです。これは、会社が成長する期待値によって価値が上がるという株式売買のシステムと似ています。ルノワールやピカソといった近代西洋美術史において重要な位置づけの作家の作品は安定して高価です。その中でも、傑作と呼ばれる作品のほとんどはすでに著名な美術館に納められており、掘り出し物としてミュージアムピース級の作品が出てくると、とんでもない高値となります。

そういったレベルになる前の段階のアーティストは、将来のルノワールやピカソのように美術史に刻まれる重要なアーティストとなるかもしれないという期待値によって価格も変わってくるのです。だからこそ、これまでになかったような**新しい取り組みをするアーティストは、その期待値によって高く評価されることになる**ということです。

そう考えると、将来的な作品の価値が上昇するアーティストを予想する場合、これからのアートのトレンドというものを見ていかなければなりません。トレンドが新しい美術史を創り、トレンドの中心にいるアーティストが高く評価されると、そのトレンドの周辺にいるアーティストも、まとめて評価されることになります。

さて、需要に応じて価格が決まるのであれば、需要が落ち込めば価格が下がってしまう場面もあるはずです。しかし実際には、ギャラリーがつける価格は毎年少しずつ上がることが前提で、価格が下がることはほとんどありません。

価格が下がることは作品の評価を下げることを意味しており、作家個人のモチベーションを下げることにもなるので、実際には据え置きはあっても下がることは、まずないのです。つまり、ギャラリー側がつける価格というのは必ずしも市場を反映しているわけではないということです。ある意味で、セカンダリーマーケットに行くまではどうなるかわからない「お試し価格」であるため、ギャラリーでの価格が上がるかどうかは顧客の目利き次第ということを意味します。

とはいえ、ギャラリー、特にアメリカの大手コマーシャルギャラリーについては、セカンダリーマーケットを絡ませながら、必ずといってよいほど作品価格を急激に上げてきます。それは、セカンダリーのマーケット、つまりオークションハウス側とつながっていることを意味します。もちろん美術館やメディアとも密接な協力関係を作っているのです。お互いが結託してアーティストの価格を上げる仕組みを作っているというわけです。結託されたシンジケートの中にいれば、価格が上がる前に早めに作品を手に入れることも可能ですが、いずれにしても価格は彼らの手によってコントロールされているのは事実なのです。

あなたのアートは今いくらなのか

近年、アート作品を所有している人は増えましたが、購入した作品を売ったことがない人がいまだに多くいます。もちろん、所有している作品が気に入っていれば売らずに置いたまま楽しめばよいのですが、良いコレクションを作ろうと思っているのであれば「わらしべ長者」的な発想が必要になります。つまり手持ちの作品の一部を売りながら、そこで得た利益を元手に次の作品を買ってコレクションを増やしていくのです。

アートはコレクションを作るという長期的な視点を持つことで、着実に利益を生む作品の購入につながり、好循環を生むことができます。

一般的にアートは一点ものが多いので、それを欲しいと思う人に対し売る人がいないと市場は成り立ちません。売る人がいることで経済がまわっていくのが、オークションなどのセカンダリー市場です。そのためアート経済の一端を担おうとすれば、アート作品の売買は必要なものとなります。そのようなアートのセカンダリー市場において、作品の価値を下げない売り方というのはあるのでしょうか。アートを購入したままにしておくのはもったいないですし、せっかくなら少しでも高い値で売りたいというのが本音でしょう。

まず基本的に、セカンダリー市場では作家の評価がそのまま作品の評価へと直結することが多くあります。作家の人気が上がれば、以前制作した過去作品の評価も同時に上がるということです。ということは、人気が上がる作家に焦点をあてることが前提となります。

また、アートは購入してからもその価値は常に変化し続けると考えたほうがよいでしょう。さらに購入後にその価値がどれだけ変わるのかは、定点観測で知っておくべきです。売るつもりがなくても資産的価値がどの程度になっているのかを知っておくのは悪いことではありません。相場を知っておくことで、どのような作品が上がるのかもわかりますし、その知識や経験が良いコレクションにつながっていくからです。

さて、手持ちのアート作品の中でも見積もり査定を出すべき作品とそうでないものがあります。例えば銀座の老舗画廊で売っている花鳥風月や富士山などの風景画、写実の美人画といった作品は、交換会といわれる業者間取り引きでは活発に売買がされますが、個人からの買い取りとなると購入時の2～3割の価格となってしまいます。

国際的なオークション市場ではそのような作品は「評価の対象外」となってしまうので、値がつかない場合が多いのです。逆に、プライマリー作品をしっかりとプロモーションしているギャラリーからの購入であれば、購入ギャラリーに販売を委託しても価格の下落はほぼないでしょう。つまり、作品価格は販売ギャラリーがその作家のプロモーションをし続けることで価格が落ちない仕組みになっているのです。

一方、作家の賞歴は人気に直結するので需要を押し上げることにつながります。

さらには購入したギャラリーが海外も含めて、積極的にプロモーションをしていることが非常に重要です。海外への販売に熱心であれば購入者の絶対数が増えるので作品の拡販につながりますし、海外は日本より高価格でも売れるというメリットがあります。そういった販売努力を継続しているギャラリーから購入するのであれば、作家の価値が下がることは少ないということです。

投資マネーは景気の状況を追いながら成長している

価格の基本は「需要と供給」で決まるため、作品が売れればギャラリー側としてはどんどん価格を上げることができます。ギャラリーのビジネスは作品を1万円で売るのも100万円で売るのも基本的なコストは変わらないので、高く売ったほうが業務効率は高いのです。少しでも単価を高くして売るのがギャラリービジネスの神髄であるならば、需要と供給のバランスでいえば、需要が増えて供給が少し足りないくらいが、顧客が離れずについてきてくれるのでベストなのです。

リーマンショックの時は、株式の相場が下落した直後にアート作品も全般的に下落しましたが、その後は株価よりも早めに回復しはじめました。アートは不況期にも強い投資商品ではありますが、まずは今の相場を株価と比較しながらアートについて知っておく必要があります。

コロナ禍によってはじまった大不況の中、国内のオークション市場は比較的堅調ではありますが、アート価格が今後どうなるかはまだわかりません。欧米主要国のＧＤＰの落ち込みはリーマンショックをすでに超えており、コロナ禍による消費行動の低下は今後の経済回復いかんによって変わっていくでしょう。

しかしながら、最近の状況では一般消費者の経済停滞と株式市況が必ずしも一致しないようになっています。あり余る富裕層の投資マネーは、経済の好不況に関わらず成長を続けており、リーマンショックのようにすぐにはアート作品の下落につながらないのではと考えられます。

アート投資のリスクとは

アートの価格は流行や経済状況など外的要因によって激しく変動します。1980年代の日本や、近年、急激な成長を遂げた中国では、その経済の活況に伴いアートの価格が高騰するアートバブルが発生しました。このように経済の動きと連動して価格が変動するアートは、しばしば株や債券のような投資商品と同類に扱われます。しかし、金銭目的の投資として、アートは株や債券とは大きく異なるので注意しなければなりません。

まず、アートは即金性がありません。株や債券、その他の投資は、売ればすぐにお金に換えることができますが、アートはそうではありません。アートを売るには、少なくとも数ヶ月、時には数年を要することもあります。すぐに現金を得たい人にとっては不向きです。金銭的価値があり資産の一つとして見なされるアートは、不動産に似ているかもしれません。もし、あなたが家を売ろうと思ったら、ある価格で売りに出し、買い手がつくのを待つしかありません。運がよければ、すぐに売れるかもしれませんが、なかなか買い手がつかなければ売れ残り、数ヶ月マーケットにとどまることとなります。同様に、需要のある貴重な作品はすぐに現金化することができますが、そのような作品はごく少数です。

セール日が決まっているオークションなら、機械的にすぐ現金化できそうに思われるかもしれませんが、これも大きな間違いです。オークションに出品しようと決めてから、作品が売れて現金が手元に届くまでに6ヶ月程度はかかります。しかも万が一作品が売れなかった場合には、またどこか別の売り先を探さなければならないのです。現代であればネットオークションという選択肢もありますが、いくらで売れるかは予想がつかず、時にギャラリーやオークションで販売するより価格が低くなるリスクがあります。もちろんその気になれば一週間で現金化することもできるのですが、その場合買い手の言い値に従うことになり、かなり安く手放すことを覚悟しなければなりません。

またアートを売買する時に忘れてはならないのは、手数料の問題です。株や債券の取り引きでは手数料が2％を超えることはほとんどありません。不動産ではたいてい3〜6％です。

一方、アートに関しては、よほど高額な作品を除いては、手数料が10％以下であることはめったにないのです。オークションで作品を売る場合は10〜15％、買う場合には15〜20％の手数料を支払わなければなりません。ギャラリーを通して売買する場合にも、20〜30％はとられると考えておいてください。

アートを投資も兼ねて買う際にはこれらのリスクも理解し、自由に使える資金のみをあてるべきです。間違っても、いざという時のための貯金や日々の生活費などをアート購入に費やすべきではありません。

行き過ぎたアートの資本主義

アート作品が数千万円の価値を持つようになると、その作品は完全に資産として動き出すことになります。作家から見て作品が傑作であろうとなかろうと、アーティストとして高く評価されれば、どの作品もおしなべて価格が高くなっていきます。

アーティストをそのようなスターダムにまで押し上げていくには、芸能プロダクションがスターを作るのと同じようなシステムで動かされていく場合が多いのです。メディアを使い、緻密なイメージ戦略を徹底してつくりあげ、作品の持つ付加価値を、アーティストの周りにいる業者が寄ってたかって上げていきます。

したがって、アートの価格は自然に上がっていくのではなく、一部の利害関係者によって意図的に上げている部分もあるため、そこには価格操作といった金融市場ではありえないことが、アートの市場で行われているのかもしれません。アートの取り引きにはインサイダー取り引きの規制がないので、内部事情に弱いコレクターは情報を十分に得られずに高値で買ってしまうようなこともあるようです。

そのような状況では、アートの付加価値よりも価格そのものを上げることが目的化してしまう恐れがあります。買ったあとにより高く売るために、購入後に価格が上がるように業者と仕組む人も出てくる可能性があるということです。

このような一部の人にだけに利益が誘導されるような流れは、本来ならば公平ではありません。しかし、オークション、美術館、批評家、ギャラリー、コレクターが一体となって、本質的な価値の何倍にも価格を上げ、彼らの金儲けの手段として利用されているといえなくもないのです。

証券化されたサブプライムローンのように、実態とは違うマネーゲームが繰り広げられる様は、アート業界の内部にいても理解に苦しむことがあり、そこまで価格を釣り上げる価値があるかどうかわからなくなってしまいます。

例えば土地の価格を決める場合の指標としては収益還元法があり、合理的な価値づけがされ、それに場所のブランドによるプレミア価格がつきます。アートも不動産と同じように、実態がある投資商品であるにも関わらず、なぜか合理的な数値での判断がしにくいのです。

したがって、オークション価格というものが唯一信頼できる指標となるのです。それ以外となると、ギャラリーに問い合わせても価格が非公開であったり、販売価格を明確にされていなかったりするのでわかりづらいのです。

資本主義というものは、お金を出資した人がそれ以上のリターン、お金を得ることを目的としています。そのため、アートがこの資本主義の渦に巻き込まれれば、バブルがはじけて一時的な後退があったとしても、長期的にはアートの価格は拡大に向けて走っていくことになるでしょう。そうなるとアーティストによっては、本人の思うところとは別に、どんどん作品価格が上がり、天井知らずとなる場合もでてくるのです。

「巨匠のアートは価格が下がらない」という言葉があるように、アートは長期的な投資で価値が上がることが多いといえます。アートが金融と同じような投資のポートフォリオの一つとして認知が進んでいけば、今後はそのようなインサイダーを正すためのルールも必要となってくるかもしれません。

アートの価格差はなぜ生まれるか

私が経営するタグボートでは、作品の価値を上げることに力を入れていますが、第三者によって恣意的に「上げる」のではなく、自然に「上がる」ことを考えています。

適正価格という意味を再度問い直し、価格がマーケットにマッチしているか考え、マッチしていなければ「その作品は売れない」と切り捨てるのではなく、どうしたら売れるようにできるかを日々考えています。

行き場のないマネーの投資先がアートへと向かうことは、アートの売買に携わる者にとって喜ばしい状況です。しかしその一方で、アートという作品や作家の才能に対する「投資」ではなく、金が金を生むマネーゲームのために「投機」へと向かうことには、警鐘を鳴らさざるを得ません。

アート投資市場のほとんどがアメリカやイギリス、そして中国といったオークションの活発なところに集中しており、日本はそのような投資からは蚊帳の外となっています。日本人はある程度価格が上がってから投資を開始するというレイトマジョリティー型の投資家が多く、当初のリスクを回避し価格が高騰した後に高値つかみをするため、その後バブルが崩壊すると逃げ切れずに後々まで引きずってしまうタイプが多いようです。

特に、欧米や中国では「巨匠のアートは価格が下がらない」、というまことしやかな伝説をもとに買い進めている投資家が多いのは事実です。私どもはそういう状況下において投機とは関係なく、着実にアートファンを増やすことに力を入れています。購入したアートの価値が上がり高く売れることは非常に良いことですが、それ自体が目的化することには不安が生じるからです。値上がりのみを目的とすると、購入者は本人の嗜好とは関係なしに、オークション市場で値が上がりそうなものに対象を絞って買うこととなります。

ギャラリーでは売れる・売れないとは関係なく、価格を高く設定することが可能です。これは、購入者と販売者との間に情報格差があり、それによって価格が高く設定できるようになっているからです。つまり、高い価格に見合う価値が本当にあるかという情報が不十分な購入者は、高く買わされてしまう運命にあるのです。

欧米や中国のように一部の富裕層によってアートが投機マネーで売買される世界よりも、そこそこ生活できるアーティストが多く生まれる世界のほうが、現実的で日本的なマーケットになりえるのではないかと、私どもは考えているのです。

日本の若手アーティストが夢を諦めてしまうのは本当にもったいないと私は感じています。食べていけるアーティストが一人でも多く増えることで後進に夢を持たせ、優秀な人がチャレンジできる土壌を育てることにつなげていきたいと思っています。

2時限目のポイント

・アートの流通にはプライマリーとセカンダリーがある
・需要と供給のバランスを反映しているのがオークションの価格
・今世紀に入って急激に上昇している現代アートの価格
・投資マネーは景気の動向に対応しながら成長中
・アートの価値は作品そのものが持つコンセプトとストーリー
・アートは付加価値が価格の90%以上を占める
・アート作品を売る時は手数料をチェック

POINT

3時限目

世界と日本のアートマーケットを理解する

世界と日本のアートマーケットの比較

アメリカと日本のアート年間購入額の比較

2019年現在、世界のアートマーケットは推計6兆7500億円（約641億ドル）あるといわれています。世界最大のマーケットであるアメリカがその44％を占めるといわれており、実質的に約3兆円の市場規模があると推定されます。それに比べて日本のアートマーケットの規模は、450億円程度といわれています。このアートマーケットは古美術や戦前の「洋画」といわれるタイプの作品ではなく、「現代アート」のマーケットです。つまり、日本のアートマーケットは世界のシェ

［図7］世界全体における各国名目GDP比（2020年）

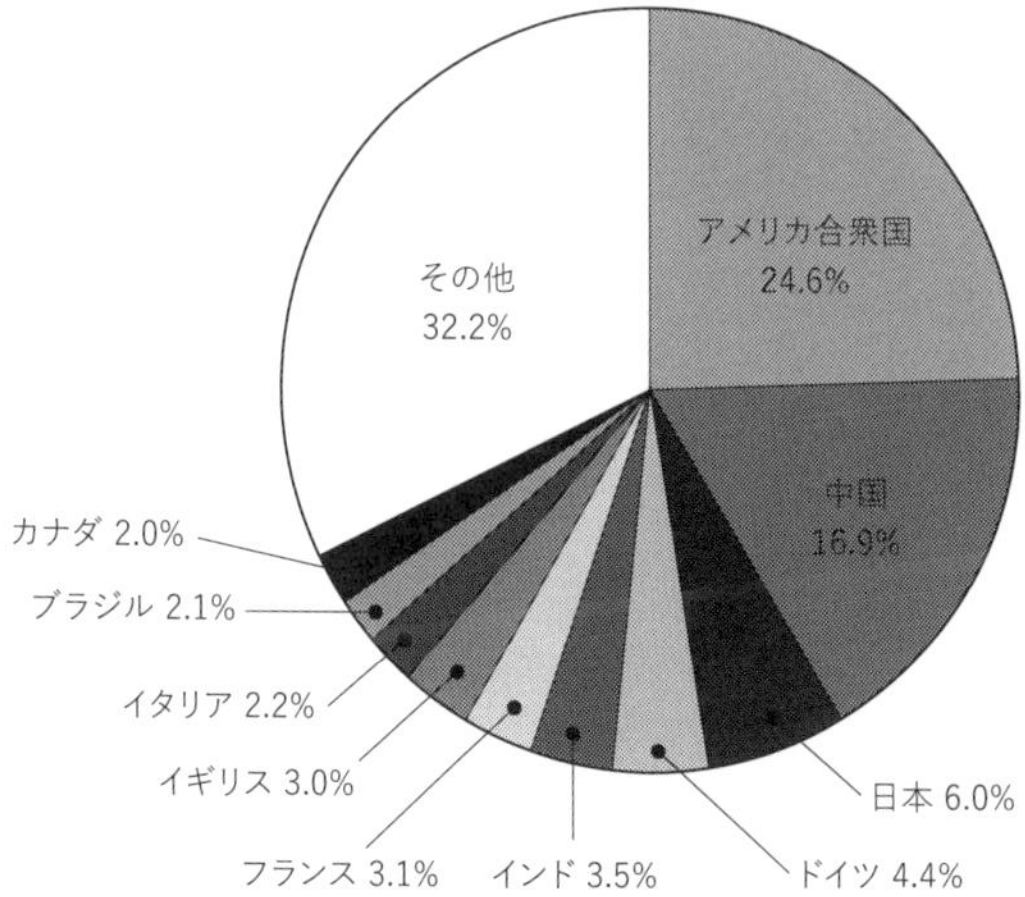

出典：国際通貨基金（データを元に算出）

アの0・7％しかないことになります。アメリカが3兆円に対し、日本は450億円。つまりアメリカの70分の1程度なのです。

アメリカの人口は日本の2・5倍ですが、一人あたりのアートの年間購入額で比較しても、アメリカが年間約1万円なのに対して、日本は年間約400円です。平均しても、アメリカ人は日本人の約25倍もアートを買っているのです。日本のGDP（国民総生産）は2020年に世界の6・0％のシェアであることを考えると、日本のアートマーケットは他の先進国と比較するとあまりに脆弱であることがわかります［図7］。

急成長するアジアの現代アート市場

次に、アジアの現代アート市場に目を向けてみましょう。

1989年、中国では天安門事件が起きました。中国において民主化が進みはじめた当時は、現代アート市場はほとんどゼロでした。しかし、その後の中国は約30年の間、国が威信をかけて文化獲得競争を行い、アートマーケットが急成長してアメリカに次ぐ世界第2位になりました。現在の中国アートマーケットの大きさはその結果といえます。

かつて、大英帝国が産業革命によって経済的には潤っていたものの、フランス等に比べ文化的に遅れていた時期がありました。それを取り戻すために、イギリスでは王室の持つ美術品を美術館を作って公開することで一般人を啓蒙し、文化的な競争にも勝ってきたという歴史があります。

同様にアメリカも経済的には恵まれましたが、文化的な歴史的背景が何もない時期から、第二次世界大戦以降はアート市場を席巻するまでに変わってきました。今の中国の動向も同じような歴史の流れをくんでいます。

現在中国では地方の中堅都市も含め、あらゆる場所でおびただしい数の美術館が建設中であり、一般人にもアートを慣れ親しんでもらう施策が進んでいます。特に香港にある2021年末に開館予定のM＋という巨大美術館は、アジア最大の現代アートのミュージアムとなる予定です。中国は経済だけではなく、文化的にも優位に立とうとする意思が明らかです。

日本も平成バブル崩壊まではアート市場が潤っていたことから、やはり経済の浮き沈みといった動向がそのままアート市場に影響してくるのは間違いありません。

国別のGDPの成長推移を見ると、アート市場との関係性も見えてきます。現在、ＧＤＰが伸びているのはアメリカと中国で顕著であり、イギリス、ドイツ、フランスといった欧州諸国は微増ではありますが、着実に成長しています。唯一、日本だけが１９９４年から20年以上も横ばいで成長がない状況で、今後もしばらくはアメリカ、中国の2強状態が続くでしょう。

私は、この経済の伸長している部分がアート市場の拡大にもつながっていると考えます。一時的な景気ではなく**国の成長力そのものが、アート購入の源泉になっているから**です。現実として、こういった数値の格差が広がっていることを目にすれば、アート作品を販売するのに日本市場にこだわるのはあまり意味がありません。

中国のアート市場の拡大を詳しく見てみると、大きな特徴としてセカンダリー市場が突出していることが挙げられます。保利（Poly）をはじめ、クリスティーズやサザビーズに次ぐオークションハウスが中国には何社も存在しており、いずれも現代アートの売買が活況を呈しているのです。また、20年前の中国には現代アートのプライマリー作品を取扱うギャラリーがほとんどない状況だったため、アートの購入希望者はオークションハウス経由で直接買うことがあったようです。

一般的にオークションハウスはプライマリー作品ではなく、コレクターの手元にあるセカンダリー作品のみを取り扱うのがしきたりです。オークションでの歴史が浅い中国ではこれに反して、作家が直接オークションに出品することが、すでに日常となっているようです。いずれにしても、中国ではオークション主導によるセカンダリー市場が急拡大し、そこから後押しされるようにプライマリーのギャラリーが増加しています。これは、アートの資産価値を目的としたマーケットが拡大し、その中でオークションハウスが重要な役割を担っているということです。

日本の場合は中国とは逆に、プライマリーのギャラリーが多い割には、オークションなどのセカンダリー市場の規模が大きくありません。

アメリカのアートマーケットの強さの秘密

アメリカのアートマーケットの市場規模は、日本のざっと70倍だといわれています。しかし、なぜアメリカのアートマーケットは日本と比較してここまで大きいのでしょうか。日本人がアートをあまり買わないのに対し、なぜアメリカではアートのマーケットが巨大化し、ヨーロッパ全体を軽く上回る規模にまで発展したのか、気になる人は多いでしょう。アメリカの戦後から現在までにおける様々な事象を分析することによって、明確になってくることがあります。ここではアメリカのアート市場が巨大化した謎について切り込んでいきましょう。

まずは、次の世界的に著名なアーティスト18名の共通点について考えてみましょう。

シンディー・シャーマン／ジム・ダイン／アレックス・カッツ／ソル・ルウィット／マーク・ロスコ／ベン・シャーン／マン・レイ／アンセルム・キーファー／マーク・シャガール／ジュリアン・シュナーベル／リチャード・セラ／ロバート・ラウシェンバーグ／バーネット・ニューマン／ルイーズ・ネヴェルソン／ジョージ・セガール／ロイ・リキテンスタイン／ヘルムート・ニュートン／クリスチャン・ボルタンスキー

18名とも現代アートにおける巨匠ですが、実は全員がユダヤ系のアーティストなのです。ユダヤ系の人たちがキーパーソンとなり、戦後のアメリカのアートマーケットの形成に重要な役割を担ったのが見えてきます。

現代アートというものは戦後にアメリカで生まれ、アメリカの覇権とともに歩んできました。戦前にさかのぼると、アメリカでは1935年から8年間、ニューディール政策の一環で公共事業に美術家を動員し、パブリックアートを制作するという「連邦美術プロジェクト」を実施していました。景気を刺激する政策の一つとして、アートがその一役を担ったというわけです。

連邦美術プロジェクトには画家や彫刻家ら1万人近くが参加し、その恩恵を受けて40万点以上のアート作品が生み出されました。当時参加した画家には、ベン・シャーンや、ジャクソン・ポロック、デ・クーニング、マーク・ロスコなどがいますが、中にはナチス・ドイツから逃れて亡命してきたユダヤ系アーティストが多くいたようです。

ユダヤ教は偶像崇拝を禁止しており、その教えからユダヤ系のアーティストはミニマルアートなどの抽象作品の制作に積極的に取り組んでいきました。戦後に同じユダヤ系アメリカ人のクレメント・グリーンバーグという美術評論家は、当時は難解だといわれていたミニマルアートなどの前衛的な抽象表現主義に関する理路整然とした評論を発表することで、彼らユダヤ系アーティストの作品に対し権威を与えました。

同時期に、やはりユダヤ系の美術評論家であるハロルド・ローゼンバーグが、アクションペインティングこそがアメリカンスタイルのアート表現だとして作品に理論的な権威を与え、価値を上げていくことに貢献しました。

その後、1960年代に入りアンディ・ウォーホルが登場してポップアートが生まれ、大衆のアート需要が喚起されることで、市場が爆発的に大きくなっていきました。つまり、アメリカではユダヤ系アーティストが国策に乗っかって作品を数多く制作し、それをユダヤ系の評論家が理論的背景を与えることによって、彼らのアートが市場原理に則る形で世界に拡大していったのです。

ユダヤ人はロスチャイルド家にはじまる金融やダイヤモンドのビジネスのように、彼ら自身が商品に付加価値をつけてマーケットを形成する手法をとります。それは安住できる土地をもたない彼らならではの生きる道を模索した結果であり、アートも同様に価値づけをして市場を伸ばしていきました。つまりユダヤ人は、アートが貨幣のように交換価値を持てば作品に信用ができることを知っていたのです。金、株、不動産のように資産ポートフォリオの一部としてアートが活用されることを最初に行ったのが彼らであり、だからこそアメリカでアートマーケットが拡大したのです。ニューヨークにある四大ギャラリーのうちGagosianを除く、David Zwirner、Hauser & Wirth、Paceの3つがユダヤ系であり、アンディ・ウォーホルを売り出した伝説のLeo Castelli Galleryもユダヤ系です。

それ以外にも現代アートにおけるユダヤ系のコレクターとして、ロサンゼルスに個人美術館を持つイーライ・ブロードやアンディ・ウォーホルを800点以上所有するムグラビ・ファミリー、イギリスの広告会社のオーナーでダミアン・ハーストなどのサーチコレクションで有名なチャールズ・サーチがいます。

美術館関係でも、テート・ギャラリー館長のニコラス・セロータ、元敏腕アートディーラーで現ロサンゼルス現代美術館館長のジェフリー・ダイチ、グッゲンハイム美術館を設立したソロモン・グッゲンハイムなどもすべてユダヤ系です。オークションハウスでもサザビーズのチャールズ・スチュワートなどユダヤ系がトップを占めています。

このようにアート界の要職に必ずユダヤ系が存在し、アーティスト、ギャラリー、評論家、美術館、オークションハウス、コレクターとアート業界のプレイヤーはユダヤ系によるシンジケートのようなものでつながっているのです。

これに比べて日本のアートマーケットが小さいことの理由づけとして、「日本は居住空間が狭いからアートを飾るところがない」「富裕層が少ない」「文化に対して国が予算をつけない」等といった原因を挙げる人がいます。しかし、それだけでアメリカと70倍ものマーケット規模の差ができるわけがありません。

本当はそのような理由ではなく、そもそも日本ではユダヤ人のようにアートに交換価値をつける技術がなく、作品に信用を持たせるマーケットができていないということなのです。現在の日本とアメリカとのギャップを比較して見えてくる事実を客観視しなければ、アートマーケットを拡大させる糸口は見つからないのです。

欧米主導のアートマーケットは変わるのか

現在、世界のアートマーケットというものは欧米を中心に動いています。アートの価格形成、評価といったすべてのルールが欧米の常識からつくりだされたものであり、我々はその決められたルール上でゲームをしなければ戦っていくことはできません。ルールを無視していてはマーケットで相手にされず、大手のギャラリーやオークションハウスで取り扱いされることもないのです。

欧米の市場から評価の対象外であれば、オークションの取り扱いがされないのはもちろんのこと、プライマリーギャラリーからも敬遠されることとなります。しかも欧米で作られたアートのルールはこの20年でグローバル化しており、世界中のギャラリーやアーティストはそのルールに基づいて戦わなければならず、一方で日本独自のルールは矮小化せざるを得ない状況にあります。

例えば、日本における超絶技巧、美人画といった類のアートは国内の老舗画廊ではいまだに人気ですし、日本画の大家と呼ばれる作家も百貨店では高額で販売されています。しかし、そのほとんどは海外のグローバル市場では評価の対象外となっています。また、交換会と呼ばれる美術商の業者のみが参加可能な互助会的な入札システムも日本独自のルールで運用されており、海外ではそこで取り引きされた価格は評価の範囲外です。

しかし、現在のアートマーケットは、コロナ禍の影響を受け、少し状況が変わっています。ネット流通に遅れたアート業界は大きな痛手を受け、特に死者数が日本の10~60倍である欧米（2021年8月現在）は、ギャラリー運営の深刻度合いも桁違いに厳しくなっているようです。売り上げは前年比大幅減となったギャラリーが多く、メガギャラリー以外の中小ギャラリーで固定費をカバーできないところは淘汰がはじまるに違いありません。また、出展ギャラリーや来場者が見込めないことから国際的なアートフェアの中止はまだまだ続くでしょう。主催者側が開催したくても、メインスポンサーが消極的にならざるを得ないからです。

　これによって、アートの国際交流はこの1～2年では激減し、海外に出向くことで売り上げを作っていた国内販売比率の低いギャラリーは苦境に立つこととなります。そうなると、当然自国での販売に再度目を向けることとなり、これまで進んできたグローバル化に一旦ストップがかかるでしょう。これによって中国をはじめアジア各国の後追いであった日本のギャラリーも、自国のマーケットの掘り起こしに躍起にならざるを得ません。日本のアートマーケットはアメリカの70分の1、中国の40分の1と先進国では極端に小さく、まだまだ成長余力があるからです。

　すでに30～40代のプチ富裕層を軸として新しい日本のアートマーケットのテコ入れははじまっていますが、周回遅れを挽回するまでには時間がかかるでしょう。

　結論としては、コロナ禍が収束する時期に関わらず、アートマーケットのローカル化は一時的なもので終わると思われます。そもそもアートのような言葉による解釈を必ずしも必要としない商品のグローバル化は、止めようがないからです。一旦せき止められたローカル化の流れは、その分勢いが逆に増して国際化の拡大が進むことになるでしょう。

一方、ネットによるオンライン販売についてはグローバル化を補完する手段であったものから、グローバル化を牽引するものへと変わっていくでしょう。コロナ禍において、オンラインが時間と距離を超えていくことを知ったギャラリーは、リアル展示にプラスしてオンライン販売をすることがあたり前になっていきます。

また、コロナ禍によってアート市場が欧米主導からアジアへと移っていくと予想する方もいますが、それはあまり現実的ではなく、欧米主導が一時的に弱まるだけになりそうです。コロナウイルスによる死亡者数が少ない東アジアの購入層が世界全体で見ると一時的には盛り上がりそうですが、欧米が作ってきたルールを崩すほどの勢いはないでしょう。世界の潮流がコロナ禍で大きく変わることを心配するまでもなく、早い段階で大きな揺り戻しが来ると考えられ、アートマーケットはさらに成長することになるでしょう。リーマンショックの時もそうでしたが、アートマーケットは全体としては拡大方向にあるので、一時的な不況からマーケットの状況が取り戻されるのにさほど時間がかからないと思っています。

日本のアートマーケットの未来

日本のアートマーケットの問題点

豊かな歴史や文化を持っているにもかかわらず、日本のアート市場が小さいという事実は、海外から見ると異常です。これについて、最も重要な問題は日本の現代アートは「交換価値」の仕組みが整っていないということです。交換価値とは「購入後にセカンダリー市場で、価値を下げずに換金できること」という意味です。交換価値は信用を生み、資産となっていきます。

しかしながら、日本の現代アートは草間彌生、奈良美智、村上隆、具体美術の作家、もの派などの一部を除いて、海外のセカンダリー市場にはほとんど出てきていないという問題があります。ゆえに、交換価値がないアートを買うのはリスクが高すぎて、買う人が少ないというジレンマに陥っているのです。平成バブルの崩壊以降、日本の現代アートは信用を失ってしまいました。その信用とは資産の交換価値から生まれる信用のことなのです。

また、現在の日本のアートマーケットでは、**せっかく買ったアートの価値が上がっていく仕組みが弱いのです。**アートの価値が上がることを期待して買っている顧客が多い中、その作品を最終的に売るか売らないかは別にしても、自分が買った作品が高く評価されるのは嬉しいものです。しかし、日本には顧客に儲けさせることなしに、作品売り切り型のギャラリーが比較的多いのです。ギャラリーとして本当に重要なのは売る時ではなく、売った後に何をするかなのです。

日本のアートマーケットでは、まだ購入顧客の数が少ないため、新規顧客の開拓には時間とお金がかかりすぎるのが現実です。富裕層でもアートを買う人は少なく、アートファンでも高額作品を買える人は限られています。

そのため、顧客のリピート率が重要となってきます。顧客を儲けさせることがリピートにつながるため、ギャラリーは作品の価値を上げる努力をし続けなければならないのです。

日本のアートマーケット拡大に必要なこと

では、欧米ではアートに信用があるのでしょうか。欧米ではギャラリスト、キュレーター、評論家、オークションハウスなど多くの業界のプレイヤーが協力して信用をつくりあげています。アートが交換価値のある資産であるためには「作品の持つ希少性」「歴史的、文化的な価値」「様々に交換が可能なマーケットの規模」が必要です。このようなマーケットが対外的にクローズド化されずオープン化していくと、アートの交換価値は上がり、信用が生まれていくのです。

欧米、特にアメリカのギャラリーでは、買った時よりも作品を高い価格で買い戻してくれる「元本保証」のようなシステムを持っているところもあります。このようなシステムがあると、コレクターはギャラリーで販売される作品を信用でき、高い金額の購入にもチャレンジできるのです。買った作品をすぐに売って儲けようとする「転売屋」は相手にせず、よいコレクターから5〜10年経った後に作品を買い戻し、さらに付加価値をつけて売ることができれば、販売するギャラリー側も買ったコレクターも得をすることができます。そのために、ギャラリストは作家のプロモーションに一生懸命になれますし、コレクターに儲けさせるために努力するのです。

このような資産価値を上げようとする循環によって、作品の交換価値、つまり信用が生まれるため、コレクターはリスクを最小限にして作品を買うことができるのです。

こうした状況をつくりあげ、今後の日本のアートマーケットを繁栄させて、その規模を現在の何倍にも拡大させることができるでしょうか。私は、次の条件を満たせば可能性があると考えています。

■アーティストが起業家のように生き抜くための環境が整備される

■現在の若年層が、若手アーティストのまだ比較的安い作品を、将来的な投資として購入する数が増える

■若手アーティストの作品のセカンダリー市場が活性化し、安くて良い掘り出し物を探す人が増える

日本に足りていないのはお金ではなく、アートに対して「信用をつくる意識」なのです。その意識が根づけば、日本のアートマーケットは確実に成長曲線を描いていくでしょう。

高齢化がアートマーケットに影響している

先ほども述べましたが、日本のアートマーケットがこれほどまでに小さい理由として、「日本は居住空間が狭いのでアートを置けない」「富裕層が少ないのでアートを買える人がいない」の2つをあげました。これらは正しくない認識として掲げましたが、あらためて一つずつ検証してみましょう。

まず、居住空間ですが、先進国の一戸あたりの床面積の平均を比較すると、居住空間の広さはアメリカ約148㎡、フランス約99㎡、日本96約㎡、ドイツ約95㎡、イギリス約87㎡です。さすがに国土の広いアメリカは飛び抜けていますが、それ以外の欧州主要国の家は、さほど日本と差がないことがわかります。フランス、日本、ドイツはほとんど同じで、逆にイギリスは日本より狭いのです。このことから、居住空間が狭いことは、アートを買わないという理由ではないと思われます。

次に日本の富裕層についてはどうでしょうか。主要先進国の資産額1億円以上の個人数で比較してみます。アメリカ約1565万人、イギリス約236万人、日本約212万人、フランス約179万人、ドイツ約152万人です。このデータから日本人に富裕層が少なくないことは明らかです。

つまり、家の広さや、富裕層の数は日本人がアートを買わない理由というわけではないのです。そこで、他の理由として考えられるのは「日本の高齢化」と、それに伴う「保守的な体質」が考えられます。

日本は世界で高齢化が最も進んでいる国であり、2020年の65歳以上の高齢者が総人口に占める割合（高齢化率）は28・7%です。一方、中国は65歳以上の高齢者は11・5%に過ぎません。そういう日本の状況に比べて、中国を含めたアジア圏でのアート関連のイベントは、とにかく若者の来場者が多く、それに呼応するように、新しい現代アートのミュージアムなどが次々に立ち上がっています。

それほどに、アートに興味を持つ若者は、今後の巨大な購入層となる可能性を秘めており、その将来性にかける期待は大きいといえるのです。

２０２０年現在、日本の中位平均年齢は48・４歳で、世界平均の30・９歳と比べてもダントツの高さです。一方で、イギリスは40・４歳、フランスは41・９歳、アメリカや中国は38歳と、日本よりもかなり若いのです。

若い世代が多い国では、新しく起業したり新しい文化が作られたりする土壌ができるのは間違いありません。活力を失っていく国と、チャレンジする人が多い国との間で今後、とてつもない差が生まれてしまう可能性があります。

現代アートが日本ではなかなか根づかず、一方で旧来の写実画などが重宝されるのは、お金を持っている層が70代以上であることの証左です。アンティークは高齢者層に人気で、アートフェアにおいて工芸や古美術の売り上げが強いのは、日本ならではの特色です。他のアジアの都市のように、現代アートに特化したアートフェアが開催できないのは、日本自体が高齢化しているからなのです。

日本のアートの作品価値

アートマーケットを支えるべき日本人コレクターが、欧米や中国と違うのには理由があります。一つの傾向として、日本人は冒険をしないといわれています。日本人コレクターは、作品が海外で売れてオークションで高い値がついてからようやく買いはじめるのです。自分の感性を信じるのではなく、海外での実績を確認してから作品を買うという、石橋を叩いて渡るタイプのコレクターが多いということです。これは、ある程度マーケットが成熟した段階で買っているので、初期の購入のチャンスを逃しており、売った時の利幅が少ないといえます。アートの売買で利益が出せないことが理由で、コレクターのすそ野が広がっていないのです。

さて、日本のアートマーケットが小さいからといって、日本人作家が創るアートの質は決して他国に見劣りするものではありません。一方で、工芸的な美しさやいわゆる超絶技巧といわれる作品は、海外からは投資対象と認識されず評価外となっています。

いずれにしても現段階では、日本人アーティストの作品価値が正しく評価されているとはいえないでしょう。これまでも「過去に評価されなかった作品を再評価」というように、60～70年代のもの派や具体美術といった作品群がアメリカのキュレーターに取り上げられた実績はありますが、それでも世界のアートの本流に位置づけられたとまではいきません。

どちらかというとそれまで欧米人が知らなかったもの派や具体といった新しいジャンルが発見されたことで、評価が上がったということです。その流れでいくと80年代の日本のへたうまアートなどの再評価もあるかもしれませんが、現在のアートの歴史に通じる日本独自の文化が欧米のキュレーターに「見つかる」確率については運次第です。したがって、現状のままでは日本のアートは、海外と比べると同じクオリティーでも相対的に低い価格となってしまわざるを得ません。

日本人アーティストは価値の上昇率を期待されている

国内のアート市場が小さいと、その国でのアート作品の価格は全体として上がりづらい傾向にあります。アート市場がはるかに大きなアメリカや、イギリス出身のアーティストの作品は相対的に高く、美大を出たばかりのアーティストでも日本の2〜3倍くらいの価格で売られているのが現状です。これはある程度の市場規模があれば、高い価格でも誰かが買ってくれるという安心感に支えられている部分があると思われます。

また、場所を貸し出すだけの貸しギャラリーが欧米では少なく、アーティストと契約して作品を展示・販売するコマーシャルギャラリーがほとんどであることから、作品価格を上げる仕組みがしっかり根づいていることがわかります。

一方、日本のアート市場はここ最近まで負のスパイラルに入っていたため、価格を高くすると売れないという傾向にありました。マーケットが脆弱なので、買い支える顧客層が不足していることが原因です。とはいうものの、前澤氏の高額落札のニュースの効果もあったのか、最近は少しずつ日本でもアートを買う人が増えてきました。日本人の若手アーティストは世界全体と比較して今が最も底値であるともいわれているため、上がる前に買うという選択は賢明であると思われます。

実はリーマンショック直後には、台湾のコレクターが台北で開催されるアートフェアで安い日本人の作家の作品をよく買っていたことがありました。リーマンショックで安くなった日本人作家は中国人作家と比べるとリーズナブルで質が高いので、青田買いのような状態になったのでしょう。しかし、その期間に日本人コレクターが若手アーティストを買い支えていないことが台湾コレクターに知れてからは、積極的に買わなくなったようです。このように、せっかくのチャンスを自国でつぶすようなことは繰り返してはならないことです。

現在、日本の現代アート市場は450億円程度ですが、購入者の母数が多くなれば、短期間で1000億円くらいにまで膨れ上がることは十分ありえることです。実際に中国のアート市場は1兆5000億円まで膨らんでいるといわれており、現在の日本の30倍の規模です。そこから考えると、まだまだ成長余力があるのです。つまり、まだリーズナブルな若手作品が多量に売買されるという方式が、今の日本市場の拡大に合っているといえるでしょう。

日本人に合うマーケットの特徴は「貯蓄性」と「安心感」

日本人の国民性に合うマーケットの2つの特徴は「貯蓄性」と「安心感」です。

日本ではこれまでも様々な商品やサービスが日本の市場で流通し大衆化されましたが、決して安くはない高級品であるにも関わらず、欧米を凌ぐ形で発展したものには「貯蓄性」と「安心感」という特徴が見られます。

その発展したものの一つが「持ち家」であり、もう一つは「生命保険」です。世界の各国と比較して圧倒的に家屋の価格が高いにも関わらず、日本の持ち家率は高いのです。日本よりも持ち家率が高い国もありますが、その場合は住宅価格が日本より安いことが多いようです。同じように、日本は生命保険の加入率が非常に高いです。払込金額の合計は数百万円にもなる高額商品であるにも関わらず、欧米よりもはるかに多くの人が生命保険に加入しています。

このように日本では持ち家と生命保険については決して安くない買い物であるにも関わらず、ほぼ大衆化といえるところまで広がっています。持ち家も生命保険もどちらも資産としての価値がありますが、特に生命保険の場合、単なる掛け捨てではなく、年金積み立て型が日本では人気であり、貯蓄性のある金融商品になっています。持ち家についてもローンの支払いが終われば資産となるので、毎月の引き落としが貯蓄をしているような感覚ともいえるのです。

日本人の特性として、購入後に資産が目減りするリスクがあったとしても、コツコツと貯蓄するようにお金を払い続けて、最終的に自分のものになれば満足度は高くなるのです。これが「貯蓄性」の特徴です。

さて、もう一つの特徴は「安心感」です。例えば、日本で中古車を買う場合、ディーラー経由で買うことが多いですが、欧米では個人売買がほとんどです。欧米では無駄な手数料や税金の支払いを少なく済ますために個人売買を利用するのですが、日本の場合は個人間取り引きに対する安心感がまだまだ低いため、ディーラー経由で買われることが多いのです。個人よりも業者から購入するほうが安心に思えるためでしょう。

また、日本の場合、新車と中古車の市場の割合は3：2となっており、新車市場のほうが1・5倍も大きくなっています。比べて欧米における新車と中古車の割合は1：2と逆転しており、欧米は圧倒的に中古車が多く取り引きされています。持ち家も、中古物件に慣れていない日本では新築の割合が高く、欧米では中古物件を安く買って自分でリフォームするので、新品にこだわらず中古をうまく活用することがあたり前になっています。しかしながら日本人は、新品に価値を感じる傾向が高いのです。つまり新品の価格が高くても、安心を得るためにはそのお金を払うことをいとわないということなのです。

これらのことを踏まえると、日本でアートマーケットの拡大をはかるには、アート作品を貯蓄的に感じるよう販売する方法や、販売後の保証などのアフターサービスによる安心感といった施策などを検討する必要があり、やり方によっては日本のアートの大衆化が一気に進む可能性を秘めているのです。私たちの未来はまだまだ捨てたものではなく、「貯蓄性」や「安心感」を高めることによって、日本のアーティストの才能を開花させていくことが十分可能なのです。

3時限目のポイント

・アメリカと中国のアート市場が拡大している
・日本の現代アートは交換価値の概念が浸透していない
・日本にはアートに対する「信用をつくる意識」が薄い
・価格に対して質の高い日本のアーティストの作品は今が買い時
・日本人に合うマーケットは「貯蓄性」と「安心感」

POINT

4 時限目

ネットを駆使してアートを買う

アートのインターネット販売の実態

ネットによって変化したアートを取り巻く環境

インターネットがすでにあたり前の世界となった現在、アーティストの活動は変わったのでしょうか。ネット社会が到来する前のアーティストがどのように作品を制作し、それを発表していたのかを考えてみましょう。

90年代半ばまでのアーティストは、制作した作品を貸ギャラリー以外で発表する場がほとんどなく、限りある選択肢の中でしか作品を見せる機会がありませんでした。貸ギャラリーも安いものではなく、1週間で20万円程度かかるのが一般的です。そんな高い金額をいつでも出せるわけではないので、ギャラリーを借りて展覧会をしない限り作品は溜まり、多くの未発表作品が売れることなく積み重なっていたと考えられます。

インターネットが普及する以前は、誰もがその未発表のアート作品の山に気づかずにいました。気づくすべがなかったというほうが正しいかもしれません。インターネット以前のアートコレクターは、自分がどんな作品が好きなのかを模索しながら、ギャラリーで見かけた展示作品の中で購入の選択をしていました。そのため、色々な作家の作品を観てみたいコレクターは、自分の足で一軒一軒ギャラリーをまわって作品をチェックしていたのです。その方法以外に各ギャラリーが展示している作家を一覧で観る方法がなかったのです。

しかし、インターネットの普及以降は、情報の公開が進むところに多くの人が集まることになります。休日にまとめてギャラリー巡りができない人にとっては、ギャラリーのウェブサイトで展覧会の様子や展示作品が見られるとありがたく、一度に多くの作品を観て選択することができます。どうしても現物の作品を観てから購入を決めたい場合は事前に作品をチェックしてからギャラリーを訪問すればよいので、時間の節約にもなるのです。つまりインターネットの出現によって、これまで個別のギャラリーに情報が集中していた時代から、アーティストも自分でホームページを持つことで情報が分散され、仲介業者を介さずに販売することも可能となったのです。

ネット上でアーティストが直接作品を見せる場ができ、さらに未発表や未販売の作品を見る機会も、コレクターやアートファンに広がってきたのです。

ネット社会の到来により、創り手であるアーティストは、それ以前と比べると圧倒的に有利な立場へと変わっていきました。素晴らしい作品はあっという間に世の中に知られ、一気にスターダムにのし上がることも可能になったのです。

アーティストが業者を選べる立場となり、自分が制作した作品を様々な業者を通じて販売することがあたり前の時代になりました。しかし、反対に競争は激化していきます。ネット社会の到来はアーティスト同士の熾烈な生き残り競争に突入したことを意味するのです。

ネット時代は情報の量と質がものをいう

インターネットの出現によって従来のメディアや広告のあり方は変化していきました が、アートマーケットにおいても例外ではありません。展覧会などの開催情報はこれまで専門雑誌やフリーペーパーなどが中心であった時代から、現在はネットへの移行が進んでいます。アート系の専門雑誌から得られる情報の多くは、ネットで無料で手に入り、情報を掲載するだけのメディアの価値は低くなっています。

ギャラリーの展覧会情報やアーティストのプロモーションについても、SNSの活用が一般的になっています。ギャラリーや美術館から送られるポストカードなどの印刷物は、一度見たら捨てられてしまう運命にあり、その有用性も薄まってきています。ネットによるアートのプロモーションは日本国内だけでなく、世界に向けたメディア戦略が重要になっているのはいうまでもありません。

しかしながら、他国と比べるとアート情報の質と量において日本があまりにも貧弱であり、それが現在の日本アート市場の小ささにつながっているという事実もあります。

アートのコレクター初心者は情報の少なさから、すでに誰でも知っているような「最近オークションで価格が上がっている作家」を競って購入してしまうのです。情報の質と量が不十分な状況なのでしかたのないことではありますが、それによってごく一部のアーティストの価格のみが高騰してバブルのような様相となっている事実は否めません。これは、実力以上の過剰な評価に気づかず買っているようなものです。

海外事情も含めて質の高い情報を入手しておけば、そのようなバブル買いは避けられます。少ない情報によって振りまわされると後でしっぺ返しをくらうことになるのです。

ネット情報が重要だからといって「アート作品のように実物をきちんと自分の目

で観ないと確認が難しい商品をネットで買うのは難しい」という人もいるかもしれません。というのも、アート作品は実物の持つ力が圧倒的に強いからです。目の前に立ちはだかる本物の存在は、観るものを感動させる力があります。本物とウェブサイト上の作品画像との違いは歴然としています。だからこそ、ネットで売る時には価格の透明性が最も重要なのです。

例えば、作品を掲載していても、価格を公表していないようなウェブサイトがあります。メールや問い合わせフォームで個別に連絡する方法をとっているようです。こういったサイトは購入者にとってはすぐに買えなくて不便ですし、ウェブによって提示価格を変えている可能性もあり、透明性がありません。また国内と海外で販売作品の価格が違うギャラリーでは、価格を表示するとその差が見えてしまうので、ウェブ販売を嫌がることもあります。

では、どういったサイトでアートを購入するのが良いのでしょうか。

信頼できるオンラインギャラリーを見つけよう

ネット上にはアート関連のウェブサイトが多数存在していますが、その多くはアート系ポータルサイトです。ポータルサイトの多くは、主に広告収入で運営されているか、非営利団体、企業によって運営されています。

アートマガジン同様、アート業界のニュースや記事、ギャラリーの展覧会や最新のイベント情報とともに、企業の広告などがずらりと並んでいます。ポータルサイトにも一部作品販売を行うセクションを設けているメディアもあります。しかし、基本的には情報サイトであるため、作品購入するのであれば、まずオンラインギャラリーを利用することをおすすめします。

オンラインギャラリーとは、アート作品のネット販売を専門とするウェブサイトのことです。このオンラインギャラリーには2種類あります。1つは、ディーラーやエキスパートなどアートビジネスに携わるプロが作品を選んで販売しているサイトです。このようなサイトでは、プロの目により作品が選別されているため、全体的にクオリティーが高く著名なアーティストの作品を取り扱っていることが多くあります。キャリアの浅い新人作家であっても、このようなサイトに掲載されているならば、潜在的な可能性を持っているアーティストといえます。

もう1つは、アーティスト自身が使用料を払って作品を販売しているサイトです。大手通販サイトでいうところのマーケットプレイスのような場所です。この場合アーティストの多くは個人的に活動し、客観的な評価はあまり得られていない場合が多いです。しかしそういったサイトでは、あらゆる段階にいるアーティストの作品や、既存のアートコミュニティーから解放された自由な表現を閲覧できます。価格がお手頃な作品も多いので、気軽にショッピングできるのも魅力です。それぞれ役割の違うものと理解し、自分の欲しい作品に合った形式のサイトを選ぶといいでしょう。

オンラインギャラリーのチェックポイント

オンラインギャラリーを利用する時、まず何よりも重要なのは信頼性でしょう。普段ネットショッピングをする場合、大手の通販サイトを利用するか、馴染みのないサイトであればトップページのデザインや運営会社、利用規約などをチェックするのではないでしょうか。アートというと特別な買い物と思ってしまいますが、信頼できるウェブサイトを選ぶ点においては、一般の通販サイトとあまり変わりません。

最初はなるべく規模の大きいサイトを選ぶことです。大規模なものでは、数百以上のアーティストの数千点の作品を扱っています。小さいサイトに比べ圧倒的な作品数を誇っているため、選択の幅が広がり、多くの作品を比較検討したうえで購入ができます。さらに大規模なサイトはサービスが充実し操作もわかりやすく、支払いの安全性も高いため安心して買い物ができます。

トップページには今注目のアーティストなどの特集記事が並んでいたり、価格、サイズ、テーマ、作家名など様々なカテゴリーから絞り込みができる検索機能や、気になる作品をクリックすると類似作品が表示されたりするなど、作品をスピーディーに探す工夫もなされています。

その他にも、アート関連のニュースや記事、アーティストの経歴や制作方法、アートの買い方やコレクションのノウハウなど、購入に必要な知識も幅広く網羅されています。最初はネットでアートを買うことを敬遠していた人も、それらを眺めて読んでいるうちにアートを買ってみたくなるはずです。購入に関する注意点としては基本的に店舗を構えるギャラリーで購入する際と共通していますが、ネットだからこそ、気をつけなければならないこともあります。インターネット経由でアートを購入してみたいと思ったら、次の項目を忘れずにチェックしましょう。

■すべての作品に価格が明記されているか

「price on request」など価格が明示されていない場合、不当な価格を提示される可能性もあるので注意してください。オンラインギャラリーであれば、価格は基本的に明記されているべきです。どうしても作品に興味がある場合は、提示された価格が相場に見合うものかどうか自分自身で調べ確認しましょう。

■証明書がついているか

店舗を構えるギャラリー同様、信頼できる販売元は証明書を発行したり、作品の裏側にシールをつけたりしています。オンライン上のみで展開するギャラリーであれば、なおさら証明書の有無には注意を払いたいところです。

■カスタマーサポートが記載されているか

メールでの問い合わせだけではなく、電話番号が記載されていることが重要です。作品購入に関し直接販売主に質問・相談ができることを確認しましょう。

■返品保証期間、返金保証が設けられているか

アート作品の現物を観ないで買うというのは、やはり勇気がいるものです。購入後、実際に商品が手元に届いたら商品に欠陥があったり、イメージと異なっていたりするなどの問題が生じることも多くあります。そのような場合に備え、受けとった時と同じコンディションのまま決められた期限内に返品し、全額返金を受けられるかどうかを確認しましょう。

■支払いオプション

クレジットカードで支払う場合、安全性の高いシステムを利用しているかを確認しましょう。心配な場合は銀行振り込みの支払い対応が可能かなど、他のオプションが用意されていることも重要です。

■配送料金

美術品は貴重品であり繊細なため、配送にもとても気を遣う商品です。そのため

配送コストが予想以上にかかる場合もあるので、料金は必ず事前に確認しましょう。作品が大きければ大きいほどコストはかかり、高額な作品であれば美術輸送の専門業者に依頼することもあります。通常は売り主が作品に応じて配送方法を選びますが、心配であれば、事前に相談しましょう。

■実際に作品を見ることができるか

ネット購入で一番ネックとなるのは、やはり作品を直接確認できないことです。しかし、サイトによっては事務所やギャラリーなどで実際に作品を観せてくれるところもあるので、そういったサービスがあるかどうかも確認しておきましょう。

インターネットの普及によりネットでアートを購入することも徐々に一般的になりつつありますが、やはり販売作品の多くは100万円以下であり、数百万円以上の高額商品が取り引きされることは少ないです。今後市場規模を拡大していくためには、利用者がピンポイントで欲しい作品を探せるような検索機能の充実、色や質感といった細部まで本物に近い状態で画面上に再現できる技術など、高度なプログラムやソフトウェアの開発が求められます。またそれらの機能をわかりやすく表示させ、なおかつビジュアル的にも魅力的なウェブデザインも重要です。オンラインギャラリーの発展のためには、アートのプロフェッショナルだけでなく、プログラマーやウェブデザイナーなど技術者たちの協力も不可欠といえます。

進むアートビジネスのオンライン化

最近では、アート関連のオンライン業者が数多く出現しています。彼らがアートの「商品」としての情報を収集、整理して伝達する時には、オンラインは武器になりえるために、特にセカンダリー市場の情報分析や競争売買には有利に働くことになります。

Artnet.comというアメリカに本社を持つ会社は1989年に設立され、今では世界の1700軒のオークション情報を閲覧できるサービスを持つ上場企業であり、インターネット黎明期からその事業を拡大してきました。このようにアートの商品としての情報がデジタル化されれば、オンライン・プラットフォームは成り立つこととなります。

デジタル化された有用な情報は通常のネット販売と同じように、画像、サイズ、技法、作家プロフィールといった基本データが閲覧でき、プラットフォームとしての事業規模が差別化要因となります。特にセカンダリー市場ではアートが「商品情報」として取り扱われるので、オンライン・プラットフォームとして事業を拡大することも可能です。

その一方、プライマリーのギャラリーがオンラインを利用する場合は、ネット販売だけではなく、アーティストのプロモーションやプロデュースに利用しなければ意味がありません。ギャラリーにとっての仕事はアーティストの価値を高めることが重要であり、それが販売につながるからです。

アーティストに展示スペースを提供するだけでプロモーションに積極的でないギャラリーは、貸しギャラリーと何ら変わることがないでしょう。つまり作品を展示する場の提供しかやらない場合、アーティストとしてはどのギャラリーと組んでもさして変わりがないため両者の関係性が希薄になり、ギャラリーの必要性はなくなってしまうのです。

ウェブでも販売する場の提供だけではアーティストの価値を上げることにつながらないので、そのような業者はオンラインのコマーシャルギャラリーとはいい難いところがあります。現在増えているのが、ほとんどがこのような類のオンライン業者や作品のレンタル販売サイトです。ギャラリーとして作家のプロデュースまで関わっているところはほとんどありません。そうなると、アーティストとしてはあくまで作品を見せるツールとしてオンラインを利用するだけになるのです。

その一方でプライマリーのギャラリーがオンラインでの販売をはじめ、アートフェアでもネット販売を利用するようになってきました。しかしながら、ここでのオンライン化はあくまで顧客にとっての販売チャネルを増やす手段の一つでしかなく、ギャラリーの展示の代替になることはありません。

展示や現地でのリアル・コミュニケーションと比べると、ネットで閲覧したりチャットしたりするのは、現状のネットの技術ではリアルほどの効果はありません。まだまだオンラインだけでは満足のいくコミュニケーションにはほど遠く、あくまでオンラインは補助的な役割でしかないのです。

また、**アートにおけるオンラインの強みというのは、情報のスピード、拡散、蓄積の3つ**です。ネットでは瞬時に情報を投稿・提供できること（スピード）、ネットからネットへバズる力が強ければ一気に情報が広がること（拡散）、いつでも整理された過去のアーカイブを参照できること（蓄積）です。

この3つのメリットを活かせることがオンラインの真骨頂ですが、これはあくまで手段にすぎません。アートマーケットの小さな日本では、マッチングによるオンラインのプラットフォーム構築はまだ難しく、ネットの新規業者はより専門性を活かした形での参入が求められるでしょう。

どのギャラリーからアートを購入するのがよいのか

アート購入の際の2つの要件

すでにある程度のアートを観た人にとって、購入の際に重要な要件は以下の2つとなります。

❶どのギャラリーから買うのかを選択すること
❷買うべきギャラリーから好きな作品を選ぶこと

どのギャラリーから買うのかは非常に重要なことです。その理由は、**ギャラリーがアーティストをプロモーションし、価値を上げる原動力となる**からです。知らないうちにアーティストの価値が自然と上がることはないので、ギャラリーが作家の評価を高めるためには、美術評論や美術館での展示といった第三者の機能を絡めることが必要です。しかしながらこれからは状況が変化し、ギャラリー自らがメディアとなって、アーティストの評価を支援するようになっていくでしょう。

評論家や美術館は作家の価値を上げる手段としてマストではなくなり、ギャラリーもオンラインメディアをフル活用して、作家をプロモーションする必要が出てくるのです。SNSや自社サイトの中で、インタビューや動画が公開され、多くの人がいつでもアーティストの情報に触れられるようになると、コレクターに作家を深く理解してもらい、作品の価値を一緒に上げることにつながっていくのです。

どのギャラリーを選択するかは、ギャラリーがどのようにアーティストをプロモーションしているかを見比べるのがおすすめです。アーティストのプロデュースに長けたギャラリーの中から、自分の好みの作家を選ぶのが最もよい結果を生むことになるでしょう。

失敗しないギャラリーの選び方

では、どこのギャラリーで作品を買うのが良いでしょうか。最も効率的で失敗せずにアートを買う方法として、アートフェアという多くのギャラリーが出展する展示販売会で買うという選択肢があります。アートフェアでは、ギャラリーが最もプロモーションに力を入れているアーティストやこれから売り出していきたい旬のアート作品を展示する場合が多いからです。

アートフェアには多くのコレクターや美術関係者が来るので、ここで販売のチャンスに賭けている出展ギャラリーも数多くいます。アートフェアは世界中で800

以上開催されており、有名どころでいえば、規模、質ともに世界最高峰のスイスのアートバーゼルや、ロンドンのフリーズアートフェア、ニューヨークのアーモリーショー、マイアミのアートバーゼルマイアミ、パリのＦＩＡＣ、アートバーゼル香港、上海のWest Bund Art & Designといったアートフェアがあります。

今あげたアートフェアは出展できる基準が非常に厳しく、アートフェア側がギャラリーを評価したうえでセレクトする立場にあります。つまりこれらのアートフェアに出展しているギャラリーから購入するのであれば、ほぼ間違いないという信用があり、しかもそのギャラリーが一押しで出品する作品を買うのがベストな方法です。

これらのフェアに出展するギャラリーがフェアで展示する作家が誰であるかをチェックし、今後、アート作品を購入する場合に目安とするのもよいでしょう。もちろん前述したアートフェアだけに限らず国内外で多くのフェアが開催されているので、なるべく多くの作品を観ることで、自分の目を慣らしていくことが大切です。

感性とロジックの両輪でアートを観る

選んだギャラリーから自分好みの作家や作品を探す時は、将来的に高く売れそうだからという理由で買うのではなく、作品のコンセプトを知ったうえで自分も納得できる好きな作品を選ぶことが第一優先です。あくまでも個人の嗜好が重要で、その範囲内で作品を選ぶべきなのです。しかし、気ままに自分の好みの作品を探していてもうまくいかないことがあります。**アートは感性だけではなく、作品を説明する論理も同時に意識する必要がある**からです。アートに社会性やコンセプトがより重視されるようになったのは、いわゆる感性だけでは価値の裏づけができないということのあらわれなのです。

価格が高くなるにつれ、感性にプラスして知性による論理的な裏づけも必要になります。アート投資が感性に頼った人気投票になれば、その場の雰囲気に任せた短期的な売買、つまり投機に似た薄っぺらいものになってしまいます。これでは、人間の感情を左右させる風評のようなものでも情報操作できるようになってしまうので問題です。アートは人間の右脳による「感性」だけで価値がつくわけではなく、コンセプトを裏づける論理性といった「左脳」も働かせる必要があります。

これらのことから、長続きするアートの価値とは、

❶世の中の多くの人に共感してもらえるコンセプトがある
❷社会性のあるテーマが内在している
❸それが美術史の文脈に位置づけられている

といった3点をしっかりと見極める必要があります。アートの価値をつくるというのは一時的なブームをつくるのではなく、作家の表現したいテーマを一人でも多くの人に共感してもらうロジックを美術史の文脈の中に作るという気の遠くなるよ

うな作業なのです。アートを作る人間の思考と表現方法が進化することで、付加価値が生まれていきます。アート投資は常に長期戦であり、すぐに結果が出るものではないことを理解しておきましょう。

アート作品の売り方

次に、アート作品の売り方についてお話しします。自分が持っている現代アートの作品が現在いくらなのか、知りたい人は多いでしょう。実際に売る・売らないに関係なく、以前買った時に比べてどれくらい価値が上がったかは誰もが気になるところだと思います。また新しくアート作品を買う資金として、現在持っているアートを売りに出すこともできます。その時のために、作品の価格帯、種類、入金の時期などによって、どのように売ればベストであるかを知っておきましょう。そうすることによって個人の持つアートという資産を活かして有益なお金の使い方を学ぶことができます。作品を売る業者を選ぶ際には、次のような種類があります。それぞれの特徴を知ったうえで選ぶのがよいでしょう。

〈委託販売〉

■オークションハウス
（サザビーズ、クリスティーズのような国際的な一流企業から国内事業者まで）

■ギャラリーなどで事業者の顧客向け販売

■ヤフオク、メルカリといったネット販売

〈買い取り〉

■アートの買い取りディーラー

■セカンダリーの販売を行うギャラリー

一般的に、委託販売のほうが実勢の価格で取り引きされるため、より高く売ることが可能です。しかし、売れるかどうかがわからないというリスクがあります。オークションハウスでも落札されるのは7～8割程度であり、人気がなければ不落札となってしまいます。人気のあるなしで相場が決まってしまうのです。オークションハウスの特徴としては、富裕層へのアプローチが得意なので、高価格帯の作品の取り扱いでは強みがあります。クリスティーズやサザビーズでは1000万円以上の作品が中心となります。

人気が高ければとんでもない価格になることがオークションのメリットですが、反対に想像していたより低い価格となって購入時よりも値が下がることもありえます。入札までにはカタログなどの情報掲載が必要なので、開催の4ヶ月くらい前からオークションハウスに見積もりをとってもらい、彼らが示すエスティメート（見積もり価格）で納得がいけば進めるとよいでしょう。オークションハウスは全体の落札率を重視するので、販売が難しい作品は断られたり、あまり人気がない作風の場合は購入時より安い価格を提示されたりすることもあります。

一方、買い取りは委託販売の売値の2～3割程度の価格が一般的です。ただし売れる可能性が高いものしか買い取ってくれないので、著名なアーティストの作品でも絵柄によっては買い取りをしない場合もあります。その代わりすぐに現金で支払ってくれるため、入金時期が早いほうがよい場合は買い取りが適しているでしょう。

4時限目のポイント

・日本のアートは情報の量と質が不足している
・ネットで購入するならオンラインギャラリーがおすすめ
・アートにおけるオンラインの強みは、情報のスピード、拡散、蓄積
・アーティストのプロデュースに長けたギャラリーから買うと良い

POINT

5 時限目

アートの未来を想像する

アートの民主化と大衆化がはじまっている

難解な複雑さから、わかりやすいシンプルさへ

現代アートは、以前と比べてその戦い方が明らかに変わってきています。これまではキュレーターや評論家が美術史の流れから作品のコンセプトを読みとろうとしていましたが、これからは必ずしも作家の意図を理解することがマストではなくなってくると予想されます。その理由として、今後は作家数が増えて作品数が膨大になり、美術史の文脈や系譜が複雑多岐になりすぎて、一点ずつ位置づけをすることの意義が失われつつあることが挙げられます。キュレーターや評論家はとかく

アートをアカデミックにとらえて、それを体系づけることに力を注いでいますが、実際にはそれが一般の人にとって謎解きのパズルのようなものにしか見えないことが多くあります。複雑なコンセプトで理解が難しいアートは、ボタンの数が多い多機能なリモコンのようなもので、それが重視されること自体が時代からとり残されはじめているのです。

つまり、これからは鑑賞者が自由に作品の意味を推測しながら、自身の基準で作品を評価するように変わっていくでしょう。このことは人それぞれに違う感じ方があり、作者の意図が参考程度になっていくということを意味します。

そうなると今後はアーティストからの詳しい説明なしに、鑑賞者が自由に作品を感じることが前提となります。アーティストは作品を創るにあたって、詳しい説明がなくても誰でも理解できるくらいまでに作品のコンセプトを「わかる」ようにする必要が出てくるのです。詳しいテキストなしに理解できないアートは、これからの時代には厳しくなっていくでしょう。

現在では、「世界中のどれだけの人から共感を得るか」ということがより重要となっています。こうなると、難解なコンセプトよりも、作品のわかりやすさが必要となってくるのです。世界中の人を対象にするのであれば、誰もが共通認識となる考え方や感覚に訴えるものでなければなりません。アートは今、複雑さからシンプルさへと大きく舵をとる時代に差し掛かっています。つまりアカデミズムによる押しつけから、大衆が理解できる共通認識へとアートの方向性が変わりはじめているということです。

現在ではインスタレーションや映像といった作品が、販売だけではなく入場料収入を得ることが可能なアート作品として価値を高める時代に来ています。アートが映画、文学、音楽といったカルチャーと比べるととっつきにくいのは、まだ一部の特権階級にのみ許されたアカデミズムに守られており、一点あたりの価格を上げるためにはそのアカデミズムによる「お墨つき」が必要であったからです。しかし、インターネットの情報拡散力がそれを一気に瓦解させつつあります。

作品のわかりやすさが重要になると同時に、作家が生まれ育った風土をネタにするようなエキゾチズムの部分で勝負していたアートの時代も終焉を迎えはじめています。現代アートで先をいく欧米に対して、日本らしさを強調するような作品というのはすでに珍しいものではなくなっており、そういった民族主義的な部分にオリジナリティを求めることができなくなっているのです。

世界中の人に共感してもらえるわかりやすいコンセプトや感性というと、簡単なようで実はとてつもなく難しいテーマです。しかしながらすでに多くの欧米トップギャラリーはそれをすでに見通しながら、次の一手を打ちつつあることを私たちは知らなくてはいけません。

アートの民主化と大衆化とは

とてつもなく高価なアート作品がオークションで取り引きされる一方で、誰でもアーティストになれて自由に作品を売買できるという大きな2つのトレンド、「民主化」と「大衆化」が重要になってきています。この2つは全く別のものであるように思われますが、実は密接な関係性を持っています。

インターネットの発達は、SNSという新しい発明を生み出しました。今では誰もが気軽にFacebookやTwitter、Instagram、LINEなどを通じてお互いがつながり、コミュニケーションをとれるようになっています。

現在では個人と個人がネットワークでつながることで、誰でもアーティストとして直接コレクターに作品を紹介できるのです。購入したコレクターも自らが応援するアーティストに対し、SNSを通じて直接支援できるように変わってきています。いずれにしても、組織によって合理化と効率化をはかることで経済活動が行われていた時代から、個の経済の時代へと少しずつ変化しています。

これはアートの経済活動が中央集権的な管理によって「集中」されていたことから、個々の自由な裁量でなされていく「分散」へと変化しているということです。このような流れや動きは個々が力をつけていくという意味で、「アートの民主化」

とここでは呼びます。特にアートにおける民主化は、アートを創る側、購入する側のどちらにも進んでいるのです。

作品を展示して販売するというギャラリーの役割はアーティスト側でも簡単にできるようになり、さらにはプロデュースやプロモーションといったこともアーティストがSNSを通して自分でできるようになりました。同様に、購入したコレクターもネットを通じてアーティストのプロデュースが可能になったのです。

「アートの大衆化」についてはどうでしょうか。株式や先物、不動産では利益が出にくくなった現在、投資の行き場所を失った巨額のマネーの一部がアートにも向かっているのはすでに述べた通りです。現在、アメリカでは個人で楽しむアートの市場よりも、投資としてのアートの市場が大きく上回り数倍の規模まで膨らんでいます。行き過ぎた資本主義の波の中にアートも入ってしまっているのですが、そういった資産としてのアートの市場が膨らむ一方で、**個人が自由に所有する低価格のアートの市場も広がっている**ことは、あまり知られていません。そこではアートの民主化と同時にアートの大衆化も進んでいるのです。つまりアート業界は、大衆化と民主化といった一見違う方向に思えるような流れが同じタイミングで動いているということです。しかもこの動向は一つにつながっており、同じベクトルの方向にあるのです。

アートの民主化によって多くの人がアーティストとしてデビューし、自分自身をプロデュースできるようになると、当然競争も激しくなり、人気のあるアーティストの作品をコレクターが買おうと思ってもなかなか買えなくなるようなことが起こってきます。人気アーティストについてはオークションハウスを通さなくても、ネット上でのセカンダリー市場は自然発生していき、それを欲しい人が自由に買うことができるようになっていきます。

ネットのセカンダリー市場でもオークションハウスと同じように、人気が過熱する作品は資産として評価されていくことが予想されます。わかりやすく理解するために、アート以外において商品の売買の民主化と大衆化が同時に進んでいる例を見てみましょう。

例えば、これまでは自分が持っているブランド商品を現金化したいと思っても、それがルイ・ヴィトンやロレックスといった超一流ブランドでないとお金に替えることが難しかった時代がありました。しかし現在ではそれほど有名でないブランドでもメルカリなどに出品することで、それを探している人とネット上でつながり、容易に現金化が可能になっています。

これをアートにあてはめてみると、これまではオークションハウスで取り扱いされるような作品は、評論家や美術館のキュレーターによって批評されていることが必須でした。また一流ギャラリーの取り扱いでない限りは、オークションハウスに出品されることは狭き門だったのです。しかしながら現在はコレクターの誰もが作品に対するレビューをネット上に投稿し、それを誰でも閲覧できる時代に変わってきています。

コレクターからのレビューは美術業界の権威とは全く違い、大衆の意見を代弁する評価であり、その評価によって作品を買う人が増えてくると、セカンダリー市場に出てくる作品もさらに民主化が進むことになります。レストランがミシュランで評価されていた時代から食べログで一般のグルメマニアから評価される時代になるように、アート作品の民主化は少しずつ浸透していくということです。

これまでアートコレクターというと金持ちの道楽のようなイメージでしたが、現在では誰しもが数万円単位でアートを買うことができて、さらにそのアートを売買できる時代になりつつあります。アートの民主化とは誰もがアートを持つことができ、アートを楽しむ時代になっていくということです。誰もがアートについて批評し、セカンダリーマーケットにも積極的に参加できる日が近づいているのです。このトレンドは間違いなく進んでおり、後戻りはできない状況にあります。アートが大衆化、民主化していくことで、アートに親しむことが容易になっているのは世界共通の流れであり、それを牽引しているのがインターネットの普及です。これによって、アートに関する情報を誰でも簡単に得やすくなっているのです。

自社が推す作家をすすめるギャラリストとは違い、プロのように冷静かつ公平な評価を下すことができるコレクターが、これからは数多く出てくるに違いありません。嗜好が偏っているギャラリストよりも、多くの様々な作品を観ているコレクターのほうが信頼できることもあります。そのようなコレクターの声が集まって可視化されていくと、アート作品の評価は一変することになります。専門家の意見は不要なわけではありませんが、専門家による評価から購入者目線の評価へと変わっていくのです。これまで見たことのない新しさがわかるのは、数多く質の高い作品を観ている人々でしょう。

アカデミズムの崩壊

現在のアートは、いまだ属人的なルールに縛られています。例えば展覧会のカタログに書かれている論評は、そのほとんどが美術館などアカデミズムの中にいる一部の人向けに書かれたものであり、それ以外の人を対象としていません。学芸員の評論の場と大衆との間には溝があり、そこに異論をはさむ人は少ないのです。

アカデミズムが大衆との間に距離を作り、その距離感は知識の差となり価値と価格に転嫁されていたのです。つまり、わかる人にはその価値が理解されていたのですが、それはアカデミズムを学習しなければわかり得なかったということなのです。これは一部の知識層と富裕層がそれ以外の大衆と一線を画すための手段であり、特権階級にいながらその利益を享受するための方法だったのです。

1917年に発表された「泉」をきっかけに、マルセル・デュシャンがコンセプチュアルアートという概念を作り「アートが技法やその造形美だけではなく、新しい概念を形成することこそがアートだ」という最初の礎をつくりました。それ以降それまでになかった新しいコンセプトを発明する競争がはじまり、美術史的に新しい文脈に位置づけられると評論家が決めれば高く評価されることになったのです。つまり、美術史の文脈に乗りさえすれば価値が上がるという理論です。

しかしながらネットによって様々な情報が安価に受けとれる世の中になると、そのような特権階級が生き残れるはずはありません。すでにアートの世界においても大衆化はじわじわとはじまっており、両者との知識格差は消滅しつつあります。

コンセプト重視から共感重視のアートへ

マルセル・デュシャン以降、アートを創る個々の作家は「コンセプト」が最も重視されることとなりました。コンセプトの斬新さ、発想の独創性が大事であり、アーティストはアカデミックな視点から評価を受けるために「コンセプト」をひねり出し、時間をかけて説明してもらわないと理解できない作品が見受けられるようになりました。そうなるとアートは「アイデア勝負」のような戦いになってしまい、そもそもアーティストが作りたかったものとはかけ離れたものとなってしまいます。

コンセプト重視のトレンドは今後も大きく変わることはないでしょうが、アートの民主化を目指すなら、理解が難しいアートよりも、「感動」や「共感」といった人間の心の琴線に触れることが重要になります。これからのアートは理解しやすい方向へと進んでいくでしょう。理解しやすいということは、多くの人に感動してもらったり、共感をしてもらったりすることなので、決して簡単なことではありません。一部のアカデミックな美術関係者を説得するよりも、それ以外の大衆に対し感動と共感を得るにはとてつもないエネルギーが必要であり、その熱量を多くの人に示していくことが、これからのアートの民主化には必要なのです。

現在の国内のアート市場は450億円程度なので、一人平均で10万円のアートを買ったとしても購入者合計は45万人しかいません。これは日本の労働人口6600万人の1％にも満たないのです。これまでアート業界はこのわずか1％に向けたマーケティングを行ってきており、その中でシェア争いをしてきたのです。そういった狭い世界からの脱却を狙うことで、多くの人にアートのおもしろさを広めていかなければなりません。アートに対する「わかりにくいもの」といったイメージから脱却して大衆化をはかるためには、従来のメディアだけでは不十分なのです。

アート業界の情報公開が進む

日本の美術メディアは、欧米と比較すると極めて小さなマーケットをターゲットとしており、特に紙媒体は年齢高めの層が対象となっているのが特徴です。美術メディアの主な役割は、アーティストの作品や世界観を画像や文章で多くの人に知ってもらうことにありますが、日本のメディアは批評的な部分は少なく、広告主の意志が強く反映された体裁となっている場合が多いのです。また今の時代は情報の伝達が早いので、印刷、製本、配送といったプロセスが必要な紙媒体は、発行された時点で情報が古くなっていることは否めません。さらにはコロナを恐れて年齢が高い層が書店やギャラリーに行かなくなっているので、広告対効果は低くなっています。

一方、50歳代以下は紙媒体を使わず、ほぼネットだけで情報を得ており、そのうちSNSの利用率が最も多くなっています。美術に関する情報の中でも、よりリアリティーのある作家情報を知るためです。広告主による展覧会の情報を鵜呑みにするのではなく、その作品を目にしたような実体験をするには動画は欠かせません。また、動画で作家インタビューによる生の声を聞くことで世界観をより深く知ることもできるでしょう。そういう意味では、YouTubeなどを活用したネットによる美術メディアが今後は増えていくでしょう。

アートの評価も見る人によって様々な受けとり方があるので、メディアによる論説が必ずしも正しいわけではありません。受け手が多くの情報を吸収してそれをもとに作品を感じるがままに評価する時代になってきています。本来、アートの楽しみ方は自由であり、批評家の論説は参考程度として自分自身で好きなように解釈すればよいのです。例えば新型コロナウイルスに関しては世間で色々と論じられていますが、それに対する人のとらえ方は千差万別です。

海外との比較データや論文を読み込んで今後どうなるかを考える人もいれば、テレビのワイドショーをそのまま正しい情報として受け入れる人もいます。その人その人によって正義の本質が違うので、意見はそれぞれ違って当然なのです。

アート作品に対する批評も同じことで、人によってどう感じるかは、情報の質と量によって変わってきます。作品の上昇を重視しているコレクターにとっては、価格が上がりそうな作家が良い作家となります。そういう人は株価が上がる会社を評価するように、価格の上がる作家を高く評価しているのです。これは間違ったことではありません。せっかくお金を出して作品を買うのであれば、資産として上がることを望むのはあたり前の感情だからです。

美術の情報メディアではオークションで落札されたセカンダリー価格は公開されますが、プライマリー価格が公開されることはめったにありません。本来ならプライマリーで買うことが最もリーズナブルな方法なのに、なぜ公開されないのでしょう。ギャラリー側がメディアに情報を公開しないのはそこに何らかの問題があり、公開されたくない事情があるからなのです。

例えばギャラリーの展覧会で、キャプションに価格を表示せずにプライスリストを見せるスタイルは一般的ですが、このリストを携帯のカメラで撮ることは通常禁止されています。また、プライスリストでは売れた作品の価格の真上に赤丸シールを貼ることで、売れた金額を隠している場合が多くあります。

その理由の一つとして、赤丸シールの金額を足すと展覧会での売り上げ額が一目瞭然となってしまうということがあります。作家個人の懐事情も公開されることになるので、嫌がる作家がいると思われます。もう一つは価格が知られると、対顧客でのビジネス上で不都合が起きるからです。例えば国内と海外で販売価格が違う場合には明らかにしたくないでしょうし、他のギャラリーから作品を借りて委託販売している場合には、価格が公開されると割高で売っていることがわかってしまいます。このように、現在はギャラリーが価格を公開しないことが暗黙のルールと化していますが、ネットとSNSの時代にはそのような習慣も瓦解していくでしょう。

ギャラリーのプライマリー価格が公開されていくと、例えばダイナミック・プライシングというやり方が採用されてくるかもしれません。これは、航空料金やホテル代のように顧客の需要に応じて柔軟に価格を変えることのできるシステムです。いつも売り切れで買えない人気作品の価格を定価より割高になっても確実に買うことができたり、ウェイティングリストの順位の入れ替えができたりすると、お金に余裕のある購入者にとって便利になります。ダイナミック・プライシングは購入者にとっても販売者にとってもＷｉｎ－Ｗｉｎとなる可能性が高いと考えられます。

逆に、ギャラリーの展示会期の後半に価格が少し安くなるという販売方法も高い利用価値がありそうです。価格をある程度の範囲内で上下できるのであれば、ブランディングの低下にはつながらないと思われますし、買いたい人の需要に合わせて作品価格を調整できると、マーケットの活性化につながることは間違いありません。常連顧客を優先して新しいお客様を取り込めないやり方は、いつの日か終わりがくるでしょう。はじめての顧客でも買いやすい仕組みを作っていくことが、若年層のコレクターを作り、新しいマーケットの創造に結びつくのです。

アートとエンタメが融合する時代

これまで日本では、アートがあまりにもアカデミズムの世界に支配され続けてきました。しかし、そろそろ本格的にアートとエンターテインメントとの融合がはじまる予兆があります。

Gagosian、David Zwirner、Pace Galleryなどのニューヨークのメガギャラリーは、美術館と変わらない規模の展示スペースを持つだけでなく、プロジェクションマッピングやVR、ARといった映像作品で入場料収入を得るようになっています。

メガギャラリーの資金力は美術館を凌駕するようになっており、美術館側もメガギャラリーのコレクターがいなければ巡回展などを開催することができません。このようにメガギャラリーは学術的な権威を身にまといながらも、同時にエンターテインメントの領域を拡大することで、マーケットを支配しようとしているのです。アーティストもタレント化しており、それは作品の見せ方、楽しむ手段の多様化、各メディアへの露出に積極的であることからも明らかです。

これからの時代はアートを資産とするならば、学術的な権威でその価値を推し量る部分が小さくなり、相対的に共感できる人の数や人気投票によって価値が上がる部分が大きくなってきます。これはつまり、アートの民主化＝アートのエンタメ化に通ずることになります。

例えばエンタメと相性のよいＳＮＳとしてInstagramがあります。国内外の芸能人やタレントが最も活用しているＳＮＳです。メガギャラリーはこのInstagramへの投資にも積極的で、フォロワー数はGagosian 約１４０万人、Pace Gallery は約１００万人と拡大傾向が早いのです。それに比べると日本のギャラリーはInstagramの活用が乏しく、まだまだこれからであり、海外に比べて周回遅れは免れない状況です。

アートがエンタメ化するためには、まずは一人でも多くの人に観てもらうことが重要であり、楽しんでもらうことにフォーカスをあてていかなければなりません。

サブカルチャーとハイアートの垣根がなくなる

アカデミズムに守られたアートが必ずしも良い作品ということではなくなると、大衆から多くの来場者を集めることのできるアートが人気を持ちはじめ、ハイアートとサブカルチャーでの評価や価値の違いに意味がなくなり、アカデミズムの持つ力が相対的に弱くなっていくでしょう。今後、一般のアートの鑑賞体験が点数やランキングで評価される時代になってくると、人々へのインパクトや感動を与える「共感力」という物差しが視覚化できるようになるかもしれません。

もちろんアカデミズムがなくなることはなく、今後もアートの価値づけを主導する立場は変わりませんが、マーケットの拡大とともに大衆化が進むことは間違いないのです。いまだに日本の美術教育はこの事実を完全に見誤っており、マルセル・デュシャン以降のコンセプト重視主義が影を潜めはじめていることにすら気づいていないでしょう。

今後、共感を集めることがわかりやすい数字となって表れる時代になると、好きなものだけを創っている人がアーティストではなくなり、多くの共感を集める世界観を持てなければ、アーティストとはいえなくなる時代となってくるのです。

高額なアートを買える富裕層を満足させるための方法論として、美術史の文脈を重視する考え方は残るでしょうが、それだけではなく、高額なアートを買えない大衆を相手に共感を増やすことで収入を得る手段を考える時代にきているということです。その大衆化の重要な部分は中流層の経済力が担っており、まさにアジアにおいてその成長余力があるのです。単純にアートを観て楽しむという行為は美術館での入場料収入といったものだけに限らず、オンラインでのデジタル作品の購入や視聴課金、さらには広告ビジネスまで広がるかもしれません。

デジタルのままでアートを閲覧、購入することも、ある程度の市場規模になるかもしれませんし、それに対応できるアートを創ることも重要となるかもしれません。VRなどはそのよい例で、VRグラスをつけさえすれば、自宅でもアートを目の前にあるように鑑賞することも可能なのです。大きく時代をとらえてグローバルな競争を考えていかなければ、気がついたら世界からとり残されてしまうということもあるのです。

アカデミズムと大衆化というアートの二元化

アートを買う人とそれを資産として活用したいという人がいる限り、アートは今後ますます資本主義の世界に巻き込まれていき、その流れは加速していくと考えられます。

アーティストの才能に賭けて資金を投下し、有名になった後に回収するというのは、いかにも資本主義的な手法ですが、アートは株式や貴金属、土地といった資産と比べると点数化などの多角的な指標がつきにくいため、評価がしにくい商品です。アートは単なる一般の人からの人気だけではなく、美術史の文脈と批評家による評価が合致しなければ、価格が上がることは難しいところがあります。

とはいえアートの大衆化は今後も拡大することは間違いなく、一方でそれに対して、これまでも脈々と続いてきたアートのアカデミズムが止まることもないでしょう。アートの未来はまず、**アカデミズムによるアートと大衆的なアートに二元化しながら進む**のではないかと予想されます。

現在ではアカデミズム側がアートを評価する圧倒的に強い立場にあるので、コンセプチュアルなアートでないと、アートとして認めてもらうのは難しい状況です。しかし、何度も指摘しているようにコンセプトがより難解になれば大衆からは受け入れられなくなります。コンセプトのわかりやすさが求められる時代になるのです。

これまで一部の評論家やキュレーターによってアートの評価が握られていたのは事実ではありますが、今後は大衆による対外的な数値による評価が出てきて、重要な位置づけになってくるはずです。例えば、最近ではＳＮＳのフォロワー数やアクセス数などでアーティストや作品への共感が「可視化」されるようになり、大衆の評価が世に知らされるようになりました。つまりアートはこれまで評価が難しいものであったからこそアカデミックな権威を必要としていましたが、今後は大衆化による一般の評価も避けて通れなくなる時代が来るということです。ただし誰もがアートを簡単に理解できるわけではないため、当初は大衆でも理解できるアートのみが評価の対象になるでしょう。

大衆のアートに対するリテラシーが上がってきたところで、アートは二元化から大衆化の一元化へと大きく潮目が変わっていくと思われますが、それがいつになるのかはまだわかりません。

金融商品をはじめ、ワイン、不動産など様々な商品は専門家のみが知る情報から解放されて、多くの人が情報を無料で手に入れることができるようになりました。

それによって誰もが情報を比較して評価ができるようになったため、マーケットが拡大したのです。いずれにしてもメディアとテクノロジーの進化が我々のアートへの関心と知識を後押ししてくれることは間違いなく、それによって大衆化は一気に進むでしょう。

デザインかイラストかアートか、といった境界線はあいまいになり、今はミュージシャンであろうと小説家であろうと、はたまた技術者であろうと、誰でもアーティストになれる時代です。今後は、そのような人たちが新しい技術によって常識にとらわれない新しいアートを創っていくのかもしれません。テクノロジーによって、これまで私たちが経験できなかったような新しい表現や感動を実現できるアーティストの出現が期待されます。

5時限目のポイント

・アートの民主化と大衆化が進む
・民主化とは個人が発信や販売、プロデュースなどの総合的な力をつけること
・現代アートはコンセプト重視から共感重視へ
・大衆のアートリテラシーが上がると民主化が進む
・共感がフォロワー数やアクセス数で数値化される時代へ

POINT

おわりに

私が本書を手がけようと思った背景には、「アーティストの理解者を増やし、食べていけるアーティストの数を増やしたい」という思いがあります。

私は幼い頃、絵を描くのがとても好きな少年でした。父は鉄工所を経営していたため、いつも仕事場から製図の紙を大量に持って帰ってきてくれて、私はその裏にひたすら漫画を描いているような子どもでした。

漫画は読むのも描くのも大好きで、中学2〜3年の頃には塾の時間に勉強をサボって、1000ページに及ぶ野球漫画を描くほどでした。

高校に入ってからも人に頼まれて絵を描くようなことをしていたので、大学を選ぶ時には美術方面の進学も考えていた時期もありました。当時はあまり区別がついていませんでしたが、画家やイラストレーター、デザイナーたちがカッコよく思え、そっちの道に進んだほうが人生はおもしろくなるんじゃないかと思っていました。それが今から38年ほど前のことです。

しかし、その話を両親にすると、「画家なんて食えるわけがない」と頭から否定されてしまったのです。もしも、あの頃に両親の反対を押し切ってまで画家になったとしても、プロとしてやっていくのは難しかっただろうと、今では思います。

当時の日本には、アートマーケットが存在していないに等しく、画家として成功している人の数も数えるほどしかいませんでした。自分がやりたいことは否定されてしまいましたが、結果として両親の意見は正しく、両親の判断には感謝しています。

しかし、当時の両親に「画家では食べていけない」といわせた世の中や環境に、私は憤りを感じるのです。

実際に私がアート業界に関わるようになってからの日本のアートマーケットを見

ても、予想以上に市場規模が小さく衝撃を受けたのを覚えています。私がアートギャラリーを経営するうえで強く思っているのは、この環境を変えたいということなのです。

芸術家やアーティストという職業は、トップクラスを除く多くの人たちが生活していけないというイメージが、日本には根強くあります。

私は、この状況を打破するために、アートの資産的な価値をもっと一般に浸透させれば、アートを買う人が増えるだろうと考えています。

例えば、最近では、好景気の影響からか中国で投資としてのアートの市場が伸びています。このようにアートを買う人が増えれば、アーティストはアート創作だけで生活できるようになり、アートで生活できる人が増えれば、アーティストを目指す人も増えるという好循環を目指せます。

私が経営するタグボートは「食べていけるアーティストを増やす」というミッションのもとに、日本のアート業界の変革にとり組んでいます。

その一環として、本書ではアートやマーケットなど様々な教養を解説し、これらが具体的にどのように役に立つのかをお伝えしていきました。日々創作に向き合うアーティストの視点は日常生活からは、なかなか得られないものです。アートを理解することが、私たちの生活を内面的にも資産的にも充実させてくれることは間違いありません。

本書を読み終え、あなたもアートを鑑賞しながらコレクションを楽しみ、日本のアート界を支える仲間になってくれたら、こんなに嬉しいことはありません。

徳光健治（とくみつ・けんじ）

株式会社タグボート 代表取締役

山口大学卒業後、双日、アーサーアンダーセン、サイバードなどを経て、アジア最大級の現代アートのオンライン販売「tagboat」を運営。日本の現代アート市場拡大のため、一般の方も気軽に買える機会をつくるべく奮闘中。とくに若手がプロとして活躍できる環境づくりに力を入れている。

タグボートWEBサイト
https://www.tagboat.com/

ブックデザイン　金澤浩二

知識《ちしき》ゼロからはじめる
現代《げんだい》アート投資《とうし》の教科書《きょうかしょ》

二〇二一年九月二二日　初版第一刷発行

著者　徳光健治
発行人　永田和泉
発行所　株式会社イースト・プレス
〒一〇一-〇〇五一
東京都千代田区神田神保町二-四-七久月神田ビル
Tel：〇三-五二一三-四七〇〇／Fax：〇三-五二一三-四七〇一
https://www.eastpress.co.jp

印刷所　中央精版印刷株式会社

ISBN 978-4-7816-2013-8